捨て去る技術

40代からのセミリタイア

中川淳一郎
Nakagawa Junichiro

インターナショナル新書 116

まえがき

これまで色々なこと、モノを捨ててきた。

モノ、服、腐った野菜、友情、会社員としての立場、人間関係、インターネット上のID、そしていくつかの仕事も。いずれも時間の経過とともに「いつしか疎遠になった」「どうでもよくなった」「飽きた」「負担になった」「そのキツさに耐えられなくなった」「邪魔になった」などが理由だ。

あれだけ仲が良かった友人とはもう会わなくなったし、20～30代前半の頃、年間70回は会っていたような「親友」に対してもキレ、その場で縁を切った。新卒で入った会社も4年で辞めた。さらには、新型コロナウイルスをめぐる価値観の相違からも複数名の深い付き合いの人間との縁を切った。「コロナは恐い」と考えるマスク・ワクチン激推し友人と私のように「恐くない」と考え、両方無駄と考える者では考えが違い過ぎる。いちいち私の配偶者や雇用している社員に対し「中川君がおかしくなった、と心配する人がいる」と架空であろう人物の存在を挙げ、持論を押し付けようとした。余計なお世話である。貴殿らは自分の人生に邪魔だ。私からさっさと縁を切るわ。

かつてツイッター上でバチバチとやり合った人々とも、もう一切の接点はない。ブロックという便利な機能により我々の関係は永遠に失われた。時々名前を見ることはあるが、何の感慨ももたらさない。「まだ昔と同様、バカなんだな」と思うだけだ。そして、その人物もたまたま私の存在を目にした時、同様に思うことであろう。かくして様々なものは捨てられていくのだ。人生は捨て、決別することの連続なのである。小中学生時代の同級生と会ったのはこの35年で2人で、大学時代の同級生にしても今でも時々会うのは4人だけだ。さらに、この中の1人もコロナで絶縁に至った。

そして2020年11月1日、47歳2カ月の時にドッカーンと捨て「セミリタイア」をした。一部の仕事と妻、そして親切にしてくれる人以外はかなり捨てた。長年住んだ東京を脱出し、佐賀県唐津市に引っ越した。すでに親も捨てたようなものだ。もう6年以上会っていない。お互い「つるむ日々は終わった」「我々の人生は別」と考えている。2人とも「私らはボケないようにする。アンタに介護なんてさせないから。ある日ポックリ死ぬ」

と言っている。

セミリタイアから2年以上が過ぎたが、多くの人が60~65歳でやることを少し早くやっただけだろう。2022年には「人間関係リセット症候群」という言葉が話題になったが、やや近いか。

本書は「決別」をテーマにする。元々の私の専門分野たるインターネットからの「決別」に始まり、負担の少ない人生を送るための決別・捨てることについて述べる。年を取れば取るほど様々なものを捨てなくてはその後の人生が面倒くさくなる。

新型コロナウイルスにより、日本の少子高齢化はますます進み、これから日本は貧乏国家まっしぐらになることだろう。2021年の出生数は81万1622人（2020年は84万835人）、死亡数は143万9856人で、2020年の137万2755人に比べて6万7101人の増加。これは戦後最大だった東日本大震災のあった2011年を超えた。2022年は、超過死亡数は2022年もさらに増え、出生数は77万人と統計開始以来最低となる見込み。この差がもっと広がり、もはや子供が珍しい国となる。

2022年11月、円は1ドル＝156円に到達した。コロナが広がって以降、あまりにもこの2年半以上、高齢者の命を守るために若年層・子供に過度な負担をお願いし、打つ手打つ手がちぐはぐで効果検証もしないまま緊急事態宣言を何度も繰り返し、見通しの甘さから延長するのは規定路線だった。挙げ句の果てには緊急事態宣言よりは緩い「まん延防止等重点措置」が登場し、政府分科会の尾身茂会長がしきりと「まん防」と言い、その語感の呑気さから「重点措置」と呼ぶようになった。なんで「まん」なんだ「蔓」でいいだろう！　「まん」の理由は「常用漢字ではないから」だそうだ。気が抜けた。

各首長は緊急事態宣言とまん防（バカバカしい語感が気に入ったので本書では登場する場合は「まん防」を使う）を発出するよう政府に要求。正直、私自身は「コロナは日本ではそこまで大騒ぎするほどのヤバいウイルスではなかった」というスタンスを取っている。

選挙で選ばれた政治家は毎度「専門家のご意見を伺い……」と言うと専門家は「我々は政治家に知見を述べる立場でしかない。決めるのは政治家」と逃げる。その後はなんとなく世論を読んだうえで、「専門家の意見を鑑みたうえで……」と政治家が本当に効果があるかまったく分からない策を繰り出すのだ。

外出を減らせばウイルスはいなくなるはずだったのだが、4回、緊急事態宣言を発出しても目立った効果は見られなかった。医療崩壊を避けることが緊急事態宣言の錦の御旗だったわけだが、常に医師会や医療関係者と政治家は「医療崩壊しています！」「修羅場！」

「今が瀬戸際」「真剣勝負の3週間」「今年は特別な夏」「我慢の先に光が見える」と大騒ぎするだけで、人口比世界一を誇る158万の病床のうち3万しか使わせない体たらく。

ジフテリアやSARS（重症急性呼吸器症候群）同様の感染症「2類相当」に分類させたため、指定の病院（主に公立）でしか診断できなくなった。そして日本の8割を占める民間の病院やクリニックは風評被害を恐れ、診断に及び腰であり続けた。自民党の有力支持母体である医師会は、人々に自粛をひたすら呼びかけた。

「感染症の2類から5類に下げる」も含め、「元気な人々はマスクを外して働けばいい」といった呼びかけをする政治家がいても良かったのに菅義偉《すがよしひで》前首相や岸田文雄首相も含め、主要政治家は絶対にこう言わなかった。コロナを怖がる人が多いため、支持率低下と来る解散総選挙・参議院選挙の結果が怖かったのである。2022年10月、コロナ騒動開始から2年9カ月が経ち、欧米が1年以上マスクを撤廃した後も「ルール作りを検討する」などと言う始末。10週間連続でマスク大国・日本が陽性者数世界一を記録したのに支持率低下を恐れ「マスクは意味ないので不要です」と言えないのだ。

そして各首長は「国に緊急事態宣言を出していただきたい。我々にその権限はない」と自らが長を務める都道府県の有権者の顔色を窺い、とにかく厳しく人の流れを制限しなくては自分のリーダーシップが疑問視される、と要求。

政府は「……またカネ払うのか……。もうねーぞ……まぁ、発出しときゃバカ国民から叩かれないだろう」みたいな感覚で結局は世論と首長に押し切られる形で制限を発動させる。なんなのだ、この華麗なスルーパスの応酬は。

そんな中、日本よりも圧倒的に被害が大きかった国は、2021年初頭、ワクチン接種率の高さもあったが「もうしょうがねー!」とばかりに市民は自由を求めてデモ活動などで反対の声をあげた。マスクの着用をしないでもいい、という国も続々増えた。2021年夏段階で欧米各国はマスクを外した。しかし、日本は世界有数のブースター接種国になったものの2022年秋、まだマスクをし続け、4回目・5回目のワクチン接種を推奨した。さらには、生後6カ月から4歳までのワクチン接種も特例承認した。ワクチン生産国のアメリカ様がもう積極的ではなくなったり、欧州各国が若者・中年への接種をやめたにもかかわらず。

2021年5月、髙橋洋一・内閣官房参与（当時）が日本の感染状況・被害状況について「さざ波」と表現したらネットでも各メディアからも猛烈に叩かれた。同氏は人口あたりの感染者数や死者の数を見たうえでこの表現をしたわけだが、「死者を目の前にしてそんなこと言えるか！」式の批判が殺到。「笑笑」という余計な一言も批判の対象になったが、「笑笑」の根拠が「さざ波」だったわけでこの言葉自体がコロナを恐れる多くの日本人にとっては許せなかったのだろう。

そんな中、日本よりも陽性者・死者ともに多いアメリカはマスクを外して日常に戻りつつあった（特に共和党知事の州）。その頃、ワクチン接種率が日本よりも高かったとはいえ、ＧＤＰ（国内総生産）の２０２１年の前年比の伸び率は5月段階で大和総研は前年比＋７・４％と予想した。米国商務省は、２０２１年第１四半期の実質ＧＤＰ成長率の速報値は前期比年率６・４％と発表。あれだけの被害を受けた国が見事な復活を遂げたのである。

一方、その間、日本は連日テレビが「（陽性者数が）火曜日としては最多」「英国株は驚異」「インド株はヤバ過ぎます！」と「煽り芸」が武器の専門家とやらを呼び、コロナの怖さを伝え続けた。

バカと暇人が見る地上波テレビが作った空気を一気に蔓延させるのは日本人のお家芸。自粛要請に従い、何の根拠があるのかは分からないが、小池百合子・東京都知事は飲食店に酒類の提供自粛を要請する「禁酒令」を出すほか、20時での繁華街の消灯を要請。「灯火管制か！」のツッコミをものともせず百合子は美術館や図書館の閉館を要請し、挙げ句の果てには「高級衣料品は生活必需品ではない」「会社は8時まで」などと言い出した！

この珍命令があったものだから、営業している店には批判が寄せられた。そして、もはや日本人にとっては「マスクはパンツ」（日本医科大学の北村義浩特任教授の名言）であるため、「マスク警察」も登場した。2020年以来、マスクをしていない人々を注意する行為のことなのだが、2021年5月14日、一つ仰天したツイートがあった。具体的な文言をコピペすることはないのだが、夏日になったこの日、JR東海の保線作業員が4人でノーマスクで「密」になっていることを批判したのだ。そして、4人の後ろ姿を写真で公開。さらに、その後JR東海に対し、この4人がノーマスクだったことを問い合わせたというのだ。

この件については、この人物を批判する意見が多数寄せられた。「なぜ、マスクをしていなかったことによりここまでされなくてはいけないのか」「作業着・ヘルメット姿でマスクだったら熱中症の可能性があるだろ」などだ。私も同感である。

もう、私はこのバカ騒動に耐え切れなくなった。なぜ、このことを書いているかといえば、本書は基本的には「もう耐えきれないものからは距離を置け！　決別しろ！」ということを主張するからである。

一体何なんだ？　この監視社会は……。リアルでもネットでも監視のし合い。実にくだらない社会である。こうなったら自分が大切だと思うもの以外は一切捨ててもいい。結果的に「見知らぬ他人が多い場所にいるのは煩わしい」ということで東京を捨てたが、それで良かった。とりあえず、２０２０年以降、マスクの集団が向こうからやってくる東京にいるのは耐えられない。２０２１年2月以降、佐賀ではマスクなしで歩いているが、注意されたことはない。そもそも人がいない。

私のこの一連のまえがきに「こいつは非常識だ」と思える方は私とは合わない。立ち読みだったのであれば良かった。買ってしまった方は申し訳ない。それでは、ありとあらゆるものから決別することにより、幸せな人生を皆さまお送りくださいませ。

目次

第1章
世界から離されてしまった悲しき老衰国・日本

ジャパン・アズ・ナンバーワンはどこに行った？

多くの中高年は「なんで日本はこんなことになってしまったんだ……」と思っているのではないだろうか。米の社会学者、エズラ・ヴォーゲル氏が執筆した『ジャパン・アズ・ナンバーワン』は１９７９年の出版。日本企業の強さを分析し、アメリカが学ぶべきことが描かれた。日米貿易摩擦などもあったバブル期の１９８９年にソニーの会長である盛田昭夫氏と石原慎太郎氏が執筆した『「ＮＯ」と言える日本』はいかに日本がスゴいかが書かれている。この頃はソニーによる映画会社・コロンビア・ピクチャーズの４８００億円買収、安田火災海上（当時）によるゴッホの「ひまわり」の53億円購入、三菱地所による１２００億円でのロックフェラーセンター買収などがあった。

１９８７年、14歳だった私は自動車メーカー勤務の父親の転勤に伴い、アメリカへ。当時、日本企業は絶好調で、アメリカに工場を造りその地に雇用を生むことが期待された。その一方、プライドをズタズタにされたアメリカ人は日本を憎悪し、日本車をハンマーでたたき壊すなどしていた。

日本人の駐在員が多くのアメリカ人の部下を使うような時代だったのだ。映画『ガン・ホー』（１９８６年制作）は「アッサン自動車」という日本の自動車会社がさびれた街の救世主になる様を描く作品だ。日本の規律に厳しいやり方にアメリカ人労働者がついていけず、その間を取り持つマイケル・キートン演じる主人公がオロオロする様子が描かれる。日本人の上司は常にアメリカ人に対し、厳しくあたるが、最後はその社畜精神で頭がおかしくなって川に飛び込んでしまう。そこをキートンに助けられ、2人して川の中で笑い合う。ようやく日本人とアメリカ人が協力し合う立場になったのだ。最後は日本からやってきたお偉いさんが視察に来る中、厳しいノルマを達成し、日本人とアメリカ人が互いに喜んで終了、というストーリーだ。

川のシーンには伏線があり、日本人が精神修行のために集団で川に入り「これが人生だなぁ！」というセリフが入る。そこにキートンが突然やってきて、工場労働者の昇給を求めるのだ。アメリカ人のぐうたらさに呆れ果ててきた日本人は聞く耳を持たない中、キートンは「キミ達は日本で1カ月何台の車を作ってきた？」と聞くと日本人は「1万5000台」と答え、キートンは茫然とする。そして、キートンは「オレはオレの仲間に1万5000台作らせる。そうしたら給料を上げてくれ」と言い、日本人管理職は「1万5000台よりも1台少なくてもダメだ」と厳しく言い放つ。

今では信じられないだろうが、これが1986年に公開された（日本では未公開）映画におけるアメリカから見た日本だったのだ。当然今のアメリカ同様、アジア人に対する差別はあったが、そこにはかつての黄禍論にも近いような感覚があったのだろう。このままだと偉大なるアメリカが買われてしまうのでは……。そうした不安をアメリカ人から感じることは時にあった。

じつに日本的な納豆のジュレ状のタレ

それから36年、日本は惨憺たる状態になっている。ITの分野において世界で名だたる企業を生み出せなかったことが大きかった。GAFA（グーグル、アップル、フェイスブック、アマゾン）に代表されるアメリカのIT企業、アリババ、テンセント、微信（ウィーチャット）など中国のIT企業に日本のIT企業は大きく水を空けられた。彼らがプラットフォームを作り、すべてを総どりするのに対し、日本のIT企業は何の生産性ももたらさないスマホゲームの開発に勤しんでいる。コロナ関連のアプリ、COCOAも散々下請けに開発を任せ、まったく役に立たないポンコツでしかなかった。

思い出すのが、ITが本格的に来た1997年、新入社員だった私の職場にはパソコンが1人1台職場に導入された直後だったが、40台後半以降のオッサンが「私はIT音痴ですからねぇ、アナログ人間なんで、ガハハハ！」とあたかもＩＴが分からないことを誇る、ないしは開き直る態度を見せていたことだ。

そして、自分ではエクセルの使い方さえ覚えることなく、派遣社員を呼んで操作方法を聞く。これは職場の効率としては良くないうえに、「パソコンは嫌いだ」という主張をすることを許す結果となっていた。

結局この頃、多少エラかった人々がＩＴアレルギーともいえる状態だったため、各国の後塵を拝する状態になったのでは。

そして、プラットフォームを構築してドカーンと稼ぐという発想がない。日本企業は余計な部分に高性能や過度なサービスを入れてしまう「お客様至上主義」かつ「お客様の貴重な声」に耳を傾け過ぎてしまうのだ。メーカーの努力をあまり悪く言いたくはないのだが、「冷蔵庫をインターネットに繋げてレシピ検索ができるようにした」というのは、スマホがあれば重要ではない。家電の分野で中台韓のメーカーがその安さから覇権を握ったが、家電に過度な機能をつけても世界では売れないのだ。

我が家には調理関連の家電は冷蔵庫、電子レンジ、オーブントースター、炊飯器の４つしかないが、炊飯器以外は台湾製である。とにかく安いものが欲しかったのである。冷蔵庫については「冷えればいい」「野菜室があればいい」、電子レンジとオーブントースターについても「その基本的機能があればいい」という考えに至り、台湾メーカーのものを買った。

一方、日本企業でも別格のおいしいトーストが焼けるバルミューダのようなオーブントースターは別次元のニーズがあるのでこれは称賛に値する。バルミューダは2000年代前半の英ダイソンのような雰囲気がある。

納豆のたれの小袋が開けづらいからジュレ状にした件についても、メディアはその発想と技術力を称賛。もちろん、顧客の声を聞くことは重要なのだが、どうにもこうにも発想が縮こまったものになってしまうのだ。ジュレ状こそが至高なのであれば、とっくに市場を席巻しているはずだが、そうではない。味とコストの面で通常の液体の小袋の方が優れているのだろう。

それは、日本のビジネスの世界では、重箱の隅をつつくような細かいことに気付く人間が「気が利くヤツ」ということで評価されることにある。ジュレ状のたれを開発した人も、社内で高く評価されただろうし、経済系メディアからもその発想の転換が絶賛された。とにかく「お客様を少しでも不都合な目に遭わせたくない」という発想になり、「痒いところに手が届く」ことこそが最も大事なことだと感じてしまうのだ。

大体、客の意見などロクなものではない。私は約15年間、ネットニュースの編集をしたが、ロクな要望はない。「喫煙者をホメる記事を出せばお前らのサイトのアクセス数は増えるはずだ」や「航空会社の新しい制服を紹介する記事を出したが、私はこの会社の採用試験に落ちてこの記事で傷ついた。すぐに削除しなさい」などの声が寄せられるのだ。

こんな声にいちいち耳を傾けるのは意味がない。よって、私は読者の声など一つも参考にしたことがない。それでいてサイトのPV（アクセス数）は増えていったのだから「我こそはプロである」の考えで自信をもって仕事をすればいいのである。

ネットニュースの編集から外れて心底幸せだ

私は2001年、4年勤めた広告会社を退社し雑誌のフリーライター・編集者になり、2006年から2021年2月までネットニュースの編集業務をやり続けた（セミリタイア後も仕事自体は続いていた）。最盛期は月に800～900本の記事を編集し、すべての記事を読み、炎上しないよう表現を柔らかくし、PVを稼ぐための「見出し」「タイトル」を付けていた。新聞社系や通信社系、IT系のニュースサイトは2006年段階ではすでに存在したものの、まだ当時の活字メディアの主流は新聞と雑誌だった。彼らからは一段見下された存在の「ネットで読むニュースの編集」という業務は、日々発見の連続だった。

何しろ、ニュースが「2ちゃんねる（現「5ちゃんねる」）」やブログやSNSで取り上げられ、読者の反応が分かる。そのためやってはいけない表現や、誰かの怒りのツボを押す一言、クレームがほぼないテーマなど様々なことを理解するようになったのだ。

数カ月もすると「ネットでウケるもの」「ネットで嫌われるもの」が分かるようになる。それは2009年4月に上梓した『ウェブはバカと暇人のもの 現場からのネット敗北宣言』（光文社新書）で「ネットでウケる10か条」と「ネットで叩かれる11か条」で発表した。その後『ネットのバカ』（2013年、新潮新書）ではともに「12か条」に変えた。

そのため、原稿をライターから受け取った瞬間に、以下が分かるようになった。

①この記事はどれだけ読まれるか
②この記事はどの程度批判されるか
③この記事はライターがつけてきたタイトルを大幅に変えればなんとか読まれそう

④この記事は壊滅的に読まれないだろうが、SEO対策（検索エンジン最適化）のために、コンテンツとして置いておいても損はない
⑤この記事に対するネットの論調は○○のようになるだろう

この5点を理解し、成果を上げていただけに、ネット編集者として、日々が楽しかった。何しろPVやコメント数、ブログでの言及数など、自分の手の中にあるのだから。当然、炎上して謝罪に行ったり、記事削除のうえで謝罪文をサイトに掲載する、などもあった。だが、当時ネットニュースの編集というものはブルーオーシャンで、他に実名を出す編集者がいなかったため、私が注目をされるようになる。そんな中、書いたのが『ウェブはバカと暇人のもの』だった。その頃のネットは「ネットを使えば誰もが幸せになれる」「ネットで業績がガッポガッポ上がった」などのユートピア論が支配的だった。そんな状況であるだけに、これまた「牧歌的過ぎるネットに対して現実論を述べる論者」というブルーオーシャンに再び乗り出すことになり、以後ネット上での炎上騒動などがあれば仕事が殺到する状態になった。何しろネットの存在感が増す中、危機感を抱いた紙メディアと電波メディアはなんとかしてネットを悪者にしてくれる論者を探していたのだから。私はあく

までもポジティブなことしか言わない同業者に対し、「キチンと悪いことも言え！」というスタンスを取っていただけなのだが、今のコロナ騒動でもそうだが、誰もが波風の立つことを言いたくない。そこで波風を立てればニーズはあるはずだ、と踏んだらその通りになった。

その後も様々なサイトで編集者をしてきたが、２０１３年頃から競争が激しくなり、さらにイキの良い若者も続々と参入してきて「これは２０２０年頃には撤退すべき仕事だな」と考えるようになった。そうしたことから、自分の雇い主に対しては「２０２０年８月31日をもってセミリタイアをする」と宣言し、実行した。

トレンドはコタツ記事

もはやネットニュース（ウェブメディアという呼び名でもいい）業界はレッドオーシャンで、とにかくPVが稼げればなんでもいい、といった状態になっている。ここ7年ほど業界のトレンドは「コタツ記事」である。スポーツ新聞の電子版を中心に、著名人がテレビ、ラジオ、ＹｏｕＴｕｂｅ、ツイッター、インスタグラムなどで発言したことをベースにキャッチーな見出しで記事を作っていく。ないしは現在話題のイシューに対しネットユーザーの声を拾って「賛否両論」「絶賛の声相次ぐ」「異論の声出る」とやるスタイルだ。開幕まで4日前だというのに東京五輪への反対の声がやまない2021年7月19日は先に挙げるような記事が乱立した。Yahoo!ニュースのトップ画面のいわゆる「Yahoo!トピックス」の下に出る記事である。アルゴリズムが私の嗜好に合わせているのかもしれないが、私自身はこうしたタイトルを見るとタイトルだけでもう中は読まない。だが、こうした記事はアクセスランキングでかなり上位に来る。

〈無観客五輪は「無意味」デヴィ夫人が訴え「バッハ会長に失礼な事をするのは日本人の恥」賛否巻き起こる〉（中日スポーツ）※ツイッターがベース。以下「※」以降はネタ元。

〈デーブ・スペクター氏、バッハ会長に謝辞「僕より空気を読めない人が現れて助かりました」〉（スポーツ報知）※ツイッター

〈乙武洋匡氏、横断幕問題の韓国選手団に疑問「参加資格を問われるような態度だと思う」〉（スポーツ報知）※ツイッター

〈八代英輝氏、小山田圭吾いじめ問題に「SNSでさらっと謝って終わりでは、オリ・パラ精神にふさわしくない」〉（スポーツ報知）※『ひるおび』（TBS系）

〈橋下徹氏　トヨタ五輪CM見送りに「スポンサーのイメージが悪くなるだけ」と理解〉

〈デイリースポーツ〉※ツイッター
〈アンミカ　小山田圭吾のいじめ告白掲載の意義に疑問「謝罪をさせるのか、何のための雑誌なのか」〉（スポニチＡｎｎｅｘ）※『バイキングＭＯＲＥ』（フジテレビ系）
〈小林信也氏、小山田圭吾いじめ問題に「オリンピックの直前にあまりに痛恨の出来事」〉（スポーツ報知）※『バイキングＭＯＲＥ』（同）
〈茂木健一郎氏、復活Ｖ・白鵬への批判に「バリエーションの問題。多様性と伝統は対立概念じゃない」〉（スポーツ報知）※ツイッター

もう各編集部は①ウオッチする番組、②ウオッチする著名人のＳＮＳやＹｏｕＴｕｂｅの2つは決めており、これらにおいて「社会の流れに合致するネタ」「発言者に知名度がある」「人々がそれに対して色々と意見を言いたくなる」の3つの要素を合わせてオンエアの数分後には記事を公開し、カネ稼ぎをしているのだ。①の番組については、「平日朝の情報番組すべて」「平日昼の情報番組すべて」『サンデーモーニング』（ＴＢＳ系）、『バイキングＭＯＲＥ』（フジテレビ系）、『ワイドナショー』（フジテレビ系）、『情報7ｄａｙｓニュースキャスター』（ＴＢＳ系）におけるビートたけしの発言、となる。②の人物と

しては以下の通り（敬称略）。いずれも社会派の意見を言う人々だ。２０２０年から２０２１年にかけては特にコロナ関連の発言がメディアにとってはドル箱となった。

松本人志、古市憲寿、ブラックマヨネーズ（小杉竜一・吉田敬《たかし》）、ほんこん、茂木健一郎、三浦瑠麗、カズレーザー（メイプル超合金）、玉川徹、小倉智昭、岡田晴恵、指原莉乃、西村博之、堀江貴文、矢代英輝、張本勲、デーブ・スペクター、乙武洋匡、橋下徹、百田尚樹、ＥＸＩＴ（りんたろー。・兼近大樹）。そして、すっかりテレビスターとなった「感染症の専門家」の面々だ。

他にも「この人であればＰＶが取れる！」というリストは各編集部に存在するわけで、こうした人々は各サイトにとっては足を向けて寝られないほど大切な〝ネタ元〟である。また、レギュラー的ではないものの、武田鉄矢が『ワイドナショー』（フジテレビ系）に出た時の発言が元でこんな記事も出た。

〈武田鉄矢　ＩＯＣバッハ会長への批判に「金メダルの話題が２つか３つ重なれば、みんな忘れます」〉（スポニチＡｎｎｅｘ・７月18日）

これについては、まずこの記事を書いたライターは　①世論は五輪を「けしからん！」という方向で一致しており、バッハ会長は稀代の悪人として扱われている　②ネットの人

気はそこまではない武田鉄矢だが……　③世論に真っ向から反対する意見を言ってくれた
↓「ラッキー、おいしい発言GET！　これで武田鉄矢を炎上させられる！」ということ
でこの記事が誕生しているのである。案の定、日本最強のニュースポータルで、各サイト
の収益の根幹を担うYahoo！ニュースでは批判の声が多数で、約3800件のコメント
が書き込まれた。

ネット記事のタイトルは左側が命

一方、スポーツ報知電子版もこの話題で記事を作った。
〈武田鉄矢、東京五輪開催で「バッハさんのこと…金メダルが2つか3つ重ねれば、みんな忘れます」〉

こちらは347件のコメントだったが、一体何が違ったのか。配信時刻はスポニチは12時39分で、スポーツ報知は11時26分。スポーツ報知の方が有利な状態だったが、タイトルがスポニチの方が人の目をひいたのではないだろうか。

ネットニュースの特徴として、「とにかくタイトルが90％を決める」というものがある。そして、タイトルについては「左から強い言葉を並べる」というものがある。本書のよう

にタテ書きの場合は「上から」だが、ネットはヨコ書きなので「左から」となる。人は一瞬でその記事を読むか決めるわけで、タイトル全部ではなく、途中で判断してしまうのだ。

この話題でいえば強さの順番はこうなる。

①「金メダル2、3個重ねればみんな忘れる」という暴言（と捉えられるもの）
②バッハ会長
③東京五輪
④武田鉄矢

となれば①を最初に持ってきたくなるかもしれないが、さすがに「誰が言った」は最初に持ってこなくてはならないだろう。そのため「武田鉄矢」が最初に来ている。この件で最高のタイトルをつけるとすればこうなる。

〈〝暴君〟〝貴族〟バッハ会長に援護射撃「金メダル2つか3つ重ねればみんな忘れます」と武田鉄矢〉

〝暴君〟〝貴族〟などと主観で入れるのは禁じ手ではあるものの、これはネットで同氏に対してそのような表現がされているため、記事中で補足の一文を入れればタイトルは支えられる。ネットニュースの基本的セオリーには、「記事中にその文言が明記されていればタイトルを支えることができるため〝釣り記事〟ではない」というものがある。このタイトルのために私だったら以下のような一文を加える。

〈ネットではバッハ会長に対して〝暴君〟〝貴族〟などと散々な書かれ方をされているが、まさかの武田からの〝援護射撃〟だった。この援護射撃は炎上を誘発するものでしかなかった。世論を考えるとそうでしかなかったのだ。〉

このくらいのテクニックなら、ネットニュース編集者は習得している。さらに「東京五輪は叩けば叩くほど稼げる」と考えた東京スポーツのウェブ版・東スポWEBは容赦なかった。

〈小山田圭吾のいとこ謝罪　辞任発表に「正義を振りかざす皆さん、良かったですねー!」ツイート〉

という記事を出した。ここでは、「音楽プロデューサー・田辺晋太郎氏が19日、いとこの小山田圭吾の去就問題でのツイートを削除し、謝罪した」と、田辺氏が小山田氏の辞任を受けてツイートした内容を紹介したうえで、削除したのに記事化したのだ。

これもYahoo!ニュースではアクセスランキングの上位(確認した時は2位。その前は1位の可能性も)で、4100件超のコメントが付いた。田辺氏は削除したのにその前のツイートを公開し、同氏と小山田氏両方を炎上させたのである。

開幕してからも東スポＷＥＢは徹底的に反五輪の論調で記事を出し続けた。何しろアクセス数が稼げるのだから。

まさに、メディアとしての矜持も失っている状態にあるが、こうなる事情もよく分かる。何しろ競争が激し過ぎるのだ。ネットニュースの場合、免許も不要だし、素人でも参戦できるし、紙面の枚数と印刷の費用があるため、スペースに制限のあった紙メディアからすれば、広大なネット空間は記事を出しまくれる状態にある。

だからこそクラウドソーシングやバイトも活用した激安価格でお手軽記事を大量生産し、ＰＶ稼ぎをする。そして、休みは一切ない。勝てるサイトなど少数派だというのに、少しでも収益を上げようと闇雲に記事を増やし、他社より少しでも早く記事を公開しようとする。そのためには、誤字脱字などなんのその。後で直せばいい！　とばかりにスピード勝負に走る。元ネタは著名人のネット、テレビ、ラジオでの発言だ。仮に人気の芸人やモデルがテレビで「私が一番好きな食べ物は天丼です」とでも言えば、〈○○が一番好きな食べ物、「意外過ぎる……」と驚きの声〉で一本記事は作れる。

ロンブー田村淳のネット記事騒動

お笑いコンビ・ロンドンブーツ1号2号の田村淳《あつし》は過去、ツイッターのプロフィール欄に「私のツイートをメディアは使うな」といった趣旨の注意書きを入れていた。すると何が起こったかといえば、メディアが同氏のツイートを使わなくなったのだ。

「淳は面倒くさいヤツだ。使った場合、抗議が来るかもしれない」と思ったのだろう。同氏はその後この注意書きを外したため、その発言はネットニュースで使われるようになった。2021年、田村とネットニュースをめぐっては一騒動あった。

「しらべぇ」というサイトが田村の発言を曲解して『田村淳「政治家をやりたい」と明言し視聴者興奮「初めて聞けた」』とタイトルをつけて田村が出演したテレビ番組の内容を記事化したのだ。これはかねがね勝手な憶測から政界進出を噂される田村が「ついに政治家になりたい、という意思を示した！」とも取れるが、実際は違う。本人が真意を質すべく編集部に乗り込み、編集長と面談をしたのだ。

田村はなぜこのような記事が生まれるのか、一体どんな人々が作っているのかを知りたく編集部を訪れた。編集長のタカハシマコト氏と田村は喋り、謝罪を受け入れその意図を聞いた。また、今後は良好な関係を築くことも互いに確かめ合った。

この顚末については、田村がMCを務める『ABEMA Prime』（ABEMA）でも放送され「コタツ記事」に関して深い議論がされた。この場にはコメンテーターとして私もいた。

かくしてこの日の番組はABEMAのオウンドメディア（自社メディア）であるABEMA TIMESでも記事化され、こんなタイトルがついた。

『全てのメディアが〝上質なこたつ記事〟を目指すべき時代に？ ロンブー田村淳、しらべぇ編集長、中川淳一郎、佐々木俊尚と考える』

これも「コタツ記事」の一種ではあるものの、あくまでもオウンドメディアである。自社がカネを払って制作したものをダイジェストとして報告しているだけに「他人のふんどしで相撲」ではない。これは私はOKと考えている。

そして番組放送に先駆け、しらべぇ編集部は「田村淳さん『あちこちオードリー』記事における問題点と経緯につきまして」という記事を掲載。件の「政治家をやりたい」記事のタイトルに含まれた問題点を明かすとともに、謝罪した。以下、引用。

〈6日にテレビ東京公式サイト『テレ東プラス』より配信された同番組レビュー記事のタ

イトルは、「ロンブー田村淳「政治家はいつかやりたい」 進行を任せられることに葛藤した過去も告白」となっています。

また、当社記事と前後して配信された他社メディアの記事タイトルも、「なりたいってフィルターで世の中を見てる」や「「政治家はいつかやりたいよね」告白」などと表現していました。

田村さんの発言は「いつかはやりたいよね」だったこと、また「なりたいっていうのは言ったことなくて。でも、なりたいっていうフィルターで世の中を見てる」と続けたことからも、タイトルから「いつか」というキーワードを省くべきではなく、また「明言」も不正確でした。

記事本文ではその発言の前後の経緯について触れているものの、「政治家をやりたいと明言」というタイトルだけが独り歩きしてしまうリスクと影響を慎重に検討すべきでした〉

ニュースサイト時代の後半は燃え尽きていた

実は編集長のタカハシ氏は、私の大学と会社の同期で、その考え方はよく分かっている。ネットニュースで勝利することを日々考え、自らの手掛けた記事が大反響になったらそれに快感を覚えるようなタイプの「やり手」の友人である。

それと同時に過ちは認められる人物なので、この経緯説明の文章についてはまるで本人が喋っているかのように頭の中で再現できる。1日50本の記事を配信していたというが、マンションの一室でやっているようなこの編集部の体力を考えると相当キツかったのではなかろうか。それでもサイトを継続させたい、とばかりに大量のコタツ記事を作り続けていたのだろう。

同氏が2013年にネットニュースの仕事を開始してから2021年は9年目となる。私の場合は、8年目となる2013年に「こりゃキツいわ」と思い始め、「2020年8月31日、東京五輪終了とともにやめる」という宣言をした。15年は持ったが、最後の7年間は辞める日が来ることだけが心の支えといった感じだった。もはや、8年やったところですべてをやり切った気持ちになり、まさに燃え尽き症候群のようになっていた。

そこからは少しだけ残った炎を維持することだけを考え、やり続けた。もちろん、担当するサイトの発展のために日々作業をし、アイディアも出し、最新トレンドにも追いつこうとしていたが、次々と新たなプレイヤーが参入し、日々競争は激しくなっていった。グーグルが検索のアルゴリズムを修正するとパッタリとPVが落ちるし、Yahoo!ニュースが目立つところに置いてくれなくなると同様にPVはガタ落ちする。

誘導したいだけの記事ではない記事

あと、ＭＬＢの大谷翔平のホームラン記事やオリンピックで多用されたのが、ＭＬＢ公式や五輪各国代表及び選手の公式インスタグラムやツイッターだけで記事を一本作ってしまう手法である。

これは、Ｙａｈｏｏ！ニュースの仕様が大いに影響している。Ｙａｈｏｏ！ニュースに配信するメディアは第1段落と第2段落の間に自社サイトに誘導するリンクを貼ることができる。たとえば、ハフポストは東京五輪に関連し、『「ドイツサッカー代表「さよなら日本」イラストを投稿「温かいおもてなしをありがとう」【画像】』という記事を２０２１年8月1日に配信した。

記事は以下の本文から始まる。

〈ドイツサッカー代表は7月31日、公式 Instagram に〝日本へのメッセージ〟を投稿した。〉

続いて次のリンクがある。ここをクリック（タップ）するとハフポストのサイトに飛ぶ。

〈【画像】ドイツサッカー代表「さよなら日本」アニメ風のイラストはこちら〉

そしてこう続く

〈ドイツはグループステージで3位となり、決勝トーナメントには進めなかった。投稿されたのはイラストで、渋谷のスクランブル交差点のような場所を背景に、選手たちが腕を組むなどしてポーズを決めている。〉

この記事の主眼はタイトル通り「五輪ドイツ代表が日本に感謝するイラストをインスタグラムに投稿した」というだけである。記事では「投稿した」事実を伝えるのみ。第一段落の後には【画像】を紹介した自社サイトへのリンクが張られている。こんなもんは、「ドイツ代表のインスタグラム紹介」であり断じて「記事」ではない。

あくまでもハフポストは日本最強サイト・Ｙａｈｏｏ！様のサイトのふんどしでこの【画像】へのリンクを踏んでもらい、自社サイトに誘導したいだけである。

さらにタイトルの【画像】というものも、「えっ、どんな画像なんだろう！」という興味を喚起するものである。それでいて、この記事（笑）は私が見た時はＹａｈｏｏ！内の

「国際」カテゴリーの2位という高位置につけていた。Yahoo!経由で相当のアクセス流入を稼げたことだろう。そして〈【画像】ドイツサッカー代表「さよなら日本」アニメ風のイラストはこちら〉のリンクを踏むと、ハフポストが独自で取材した動画でもなんでもなく、単にドイツ代表のインスタグラムをエンベッド（埋め込んだ）しただけの記事が登場する。

インスタグラムもツイッターもエンベッドについては著作権法違反ではない、やっても構わないというスタンスを取っているが、こんなもので「記事」「ジャーナリズム」を名乗っているのであれば、片腹痛い。ハフポストは朝日新聞出身者・関係者が多く、ジャーナリズムの崇高さを説くような人物が当初から多数参戦した。だが、結局はPV稼ぎこそが最重要である、といった方向に舵を取らなくてはいけなくなった。

ネットニュースのゴールドラッシュは終わっている

この事情はよく分かる。ネットニュース・ウェブメディアはキツいのだ。彼らがこういった手法に手を染める理由もよく分かるからあまり批判はしない。

日々数字に追われ、強力なライバル（文春オンラインや東洋経済オンライン）はますます勢いを強めていく。運営担当かつ現場の編集者としては「もう、この終わりなき戦いは無理だぁ〜」と心の中で悲鳴をあげ続けた。毎年、私は年末年始をタイの首都・バンコクで過ごすが、年が明けた瞬間に「あと3年」「あと2年」「あと1年」「ようやく2020年が来た！」と家人とやり続けてきた。

そしていざ2020年8月31日が来て、編集者としての生活を終えた（まだ残務として別のニュースサイトの仕事は2021年1月31日までは残ったが）時、心底清々しかった。そして現在は各種ウェブメディアに寄稿者としてかかわっている。こちらの生活の方が穏やかで素晴らしい。

こんな形であまりにも激しいPV稼ぎの最前線からは撤退したが、正直な気持ちを述べると「先行者利益を得られてよかった」というものでしかない。

当初バカにされていたネットニュースが今やニュースにおけるメインストリームになった。プレイヤーの数が少ない時に事情通ぶってネットに関する原稿を寄稿したり本を書いたり、新しいサイトの立ち上げに次々とかかわらせてもらった。そこで得られたお金により、セミリタイアができた。

もはやネットニュース、ウェブメディアの世界のゴールドラッシュは終わった。もちろん、一攫千金を狙えるサイト、運営者もいるだろうが、多分もう終わりだ。これから一山当てたい若者はこんなレッドオーシャンには参入しない方がいいかもしれない。別の「今バカにされている何か」を見つけ、そこの第一人者になることをお勧めする。

第2章　マスクとの決別

マスクは思想になった

２０２０年2月から世界は新型コロナによるパニックに陥った。日本もご多分に漏れずそうだった。当初、日本のパニックを加速させたのは発祥とされる中国・武漢で人が突然倒れる様子、イタリアの医療崩壊の様子と、アメリカで多数の棺桶を埋めている映像である。本当かどうかは分からないものの、路上に「遺体袋」と称される黒いビニール袋が多数置かれている写真も恐怖を増加させた。横浜港に寄港していたクルーズ客船「ダイヤモンド・プリンセス」に入るものものしい防護服姿も一役買った。

その後、欧米各国はコロナ陽性者と死者が日々激増したが、なぜか日本を含めた東アジアでは両方とも少なかった（この傾向はしばらく続いた）。これは世界中から不思議がられたのだが、ＷＨＯ（世界保健機関）や世界の医療機関はマスクの着用を推奨ないしは義務化した。彼らは「なんで中国で発生したのに、日本人は陽性にもならず、死なないんだ？」と不思議に思ったのでは。そんな中、分かりやすい形の違いが「彼らはマスクをしていたが、我々はしていない。マスクをつければ感染対策になるのだ！」と判断したのではないか。日本では花粉症があり、中国ではＰＭ２・５が、そしてベトナムや台湾ではバイクに乗る人々が粉塵や砂埃防止のためにマスクを着ける。その流れで「マスク様」が誕生し、人々はマスクを着ければコロナに対抗できると考え、装着要請・義務に従った。

だが、結果的に陽性者も死者も世界中で増え続けたのはご存じの通りである。世界がマスクを外す中、頑なに着け続けた日本は2022年7月以降、10週間連続世界一の陽性者数を叩き出し続けた。東京都による2021年5月13日の発表によると、感染者のうち「感染したことがわかる前14日間について、『マスク着用』していたか」という質問には65・8%が「常にしていた」で、31・8%が「ほとんどしていた」の合計97・6%。「あまりしていなかった」が2・1%で、「していなかった」が0・4%だ。

これを見ると「マスクをしている人間でも感染する」という単純なことが分かる。マスクの効果を信じる人々は「マスクをしていない人間が撒き散らした」と主張するが、あくまでも印象論である。これまでに陽性になった人々にマスク着用の有無を聞いても恐らく「ほとんどしていた」が97・6%程度にはなるだろう。何しろ六本木を除く東京の中心街を歩くと外国人の入国規制が解除される前月の2022年9月段階でも99・5%はマスクを着用していた印象である。

私自身は、2020年3月16日のブログで「コロナはそこまで恐くない。AIDSの時の過剰反応に似ている」と書いていた。2020年4月第2週に世間からのプレッシャーにより装着を開始したが、5月には「これってたいしたウイルスではないのでは？」と改めて確信し、外では着けなくなった。あくまでも、着用が求められる施設や公共交通機関でのみ着け、天下の公道では着けないのである。

こうした人間はツイッターではテロリスト扱いされ、情報番組のレポーターは「あーっ、マスクをしていない人がいます！」と絶叫するのが定番となった。なぜ私がマスクをしないのかといえば、効果がよく分からないのと、汗っかきなものでとにかく苦痛なのが最大の理由。そして、もう一つが、「惨めな気持ちになる」というものがある。自分の知り合いでマスクが好きで好きでたまらない人間というのは1人も知らない。皆、「周囲が着けているから」「マスク圧があるから」「〝マスク警察〟がいるから」「お願いされているから」「店・施設のルールだから」という消極的な理由で装着している。そのうえで、「効果については皆がしているから良いことはあるのだろう」と続く。

それに対して「そんな〝忖度マスク〟なんてしないで好きに生きればいいじゃん」というのが、私も含めたマスクと決別した人間の言い分なのである。銀座の街で99・8％マスクの集団を見るだけで不気味に感じてしまう。この飼い慣らされた連中と自分は違うのである！　という考えは、マスク集団から見れば無意味な中二病を患っていると捉えられることだろう。だが、ショーウインドーやエレベーターの鏡に映る自分のマスク姿のなんと滑稽なことよ……。

本当は大嫌いで仕方がないのに、周囲の目を気にして着けている。普段から好き放題文章を書いている自分なのに、こんな布切れこそが人々の健康と命を守ると信じ込んでいる姿がバカバカしく、惨めに感じられるのだ。

コロナ以降「新しい生活様式」という言葉がしきりと言われるようになったが、それはマスクを常時着ける生活も意味することとなる。それが新しい生活様式なのであれば、従う人も多くいるだろう。ただ、私はもうマスク生活は耐え難い。

マスクが苦痛ではない人の多さは普段からテレビで「マスクはパンツのようなもの」「マスクは素晴らしい防護ツール」などと述べる日本医科大学の北村義浩特任教授という専門家の発言にも見られるし、Ｙａｈｏｏ！ニュースのコメント欄やツイッターでも多数確認できる。

そして、もはやマスク嫌いの人間の感覚は理解されないな、と思ったのが「冷感マスク」押しである。２０２１年６月８日、この日は年間で初めて東京で真夏日になる、ということを『めざまし８』（フジテレビ系）は紹介。おっ、そろそろマスクを外すよう言うのかな、と思ったらなんと「冷感マスク」のバリエーションが豊富であることを言い出し、多数の商品を紹介し、販売するＬＯＦＴの店員の声を紹介。この時、猛暑の日本でもマスクを装着するのが「新しい生活様式」になったことを確信した。

フリップには東京曳舟病院の三浦邦久副院長のコメントとして「呼吸をしやすいものや熱を逃がすような冷感マスク派一定の効果有　ただしこまめな水分補給を！」を紹介。

コメンテーターも「選ぶ楽しみがある」「色がもっと選択肢があればいい、もはやマスクはファッションですから」などと、この流れを肯定的に見る他、むしろマスクをいかにしてさらに楽しむかについて笑顔で語っていた。ネットのコメントを見てもこんな肯定的な書き込みがあった。

「不織布の冷感マスクなんてあるのか　それはいいね」「昨日不織布マスクでちょっとやばかったから、朝から冷感マスクしてるけど正解だな。既に暑いし…」「冷感マスクがなければ通勤で死んでいたかもしれない（あつい）」「今日は冷感マスクにしたし、昨日より快適に過ごせるはず　いってきます！」

だが、否定的な意見がツイッターでは多かったので少しホッとした。

「冷感マスクに騙されるなよ　こんなので熱中症対策になるわけね〜だろうが　一瞬だ

ぞ？一瞬」「冷感マスクだからいいとかそういう問題じゃないでしょ、呼吸をしっかりできるかどうかでしょ、、、。小さな子供がいる方は特にしっかり指導してあげなきゃ（原文ママ）」「冷感マスクなんて外で動き回る仕事をしている人には焼け石に水なんだが。それより外では他人と距離を取ってマスクを外すことを報道してくれないか。冷感マスクを特集されるとまるで外でマスクを外したらダメみたいな感じに見える」「テレビは冷感マスクの宣伝するよりも外で歩行時は周りに人がいなければマスクを外す事を推奨する方が、多数の人に対しての熱中症対策になると思うけど。冷感マスクして熱中症、医療ひっ迫して救いがないね」

マスクをしない＝反社会勢力？

しかし、もはや日本は「マスク真理教」ともいうべき状況で、マスクをしていない人間は完全に反社会勢力のような扱いになってしまった。結局自主性を持たぬ日本人にとって重要なのは「自分は他と違うことをしていないか？　しているのであれば他人に合わせなければ……」という確認だけなのだ。２０２０年８月、私はコロナについて漫画『コロナ論』シリーズ作者の小林よしのり氏と対談をしたが、この時はこう言った。

「このコロナ騒動は後になって振り返ると史上最大のバカ騒ぎだったということになる」

そして、マスクについてはこう言った。

「我々はこんなクソ暑い中、外ではしていませんが、真面目で同調圧力に弱い日本人は、恐らく30%が外さないと外し始めないでしょう。ただし、30%にまで行けば一気に60%まで進み、そして90%まで行き、ノーマスクが多数派になります。残りの10%はマスクが大好きか、マスクが必要な人々です」

こう述べたものの、結局「30%」なんてものは妄想のレベルでしかなかったわけで、あれから2年5カ月が過ぎても東京ではまったく変わらなかった。日本よりもよっぽど被害が多かった国でマスクを外したのに、日本ではマスクを外せない。もう、私は「一抜け」する、というか2020年の内にした。している人間が圧倒的多数なのだから、それでいい。貴殿らはマスク様に守られているだろう。これを自分勝手と言うなら言えばいい。ただし、人間は他人のために生きているのではない。自分の快適な人生のために生きているのである。ノーマスクの人間が怖いのであれば、自分が2枚着ければいい。そうすれば同じことである。

マスクと決別したいにもかかわらず、周囲の目が気になる人々が多過ぎることによって、日本のマスク生活は終わらないのである。不快でないのならば着け続ければいいが、不快な人は自らが外さない限り一生続くことだろう。他人が外すのを待っているのはただの臆病である。

マスクで別れる人　恐怖の仲違いウイルス

前項の「マスク嫌い」の件だが、コロナ禍以降、ツイッターで不思議な現象が発生した。全国各地のコロナに対して違和感を覚える人々、マスクが嫌いな人々が連携し始めたのである。一方、コロナに対する考え方の違いにより決別するケースも出てきた。

脳科学者の茂木健一郎氏と作家の平野啓一郎氏の関係性もそうだ。茂木氏は2021年7月30日、東京五輪が開始した1週間後にこうツイートした。

「いつの間にか平野啓一郎さん @hiranok にブロックされていてびっくりした。メンションしたり、言及したりはしていないので、五輪に関する考え方の違いなどが原因だと思う。ぼく自身は平野さんのご意見はリスペクトとともに参照させていただいていたので、悲しく、残念です。」

ツイッターにおける「ブロック」とは「あなたとの関係を終わらせたい」「あなたのツ

イートは見たくない」ということである。

東京五輪は、著名人の「思想」がハッキリと分かれた。五輪反対派はとにかくコロナが怖い人、ないしは、ハッキリ言うと「左翼」である。前者は「五輪が開始すると世界から人がやってきてヤバいコロナ株が日本に撒き散らされて人が死ぬ」と考えるただの「コロナ脳」だが、後者についてはとにかく日の丸・君が代が嫌いな人々で、自公政権を転覆させたいだけである。五輪を政治利用しようとスガ内閣（当時）がしている、と感じ、反対していたのだ。

ネットではこの手の人々が常に元気であり続けたが、五輪でも彼らの元気は炸裂した。連日のように「#東京五輪開催に反対します」的なハッシュタグをつけてツイートをし、アスリートにも辞退を要求する。白血病から復活した競泳の池江璃花子にまで攻撃的な意見を投げかけて恫喝する。池江のことを五輪開催に向けたシンボルと捉えたのだ。

茂木氏は、平野氏からブロックされた理由については「五輪に関する考え方の違いなどが原因だと思う」とツイートした。茂木氏は五輪を楽しみにしているようなツイートをしていた。それが元々仲が良かったであろう平野氏の癇に障ったのだろう。平野氏は茂木氏をブロックした。

すでに本書で詳しく述べている「コタツ記事」のタイトルを紹介するが「よろず～ニュース」は『平野啓一郎氏、コロナ禍の東京五輪での国別メダル順位表示に疑問「最低限の慎みさえないのか」』が登場。同記事では「五輪憲章違反だとも指摘されているが、開催国が思いきり有利な状況下での大会で、コロナで非常に困難な状況で参加している国も多々あるのに、せめて日本の『メダルラッシュ』などとはしゃがないとか、国別の順位の表示はしないとか、そういう最低限の慎みさえないのか。恥」という平野氏のツイートを紹介した。

本当に平野氏は五輪に対して怒りを持っていることが分かる。一方、茂木氏は五輪には賛成の立場だし、アスリートを称賛する。さらに言うと、私がプレジデントオンラインに執筆した5月31日の記事「『五輪開催は人命軽視』そんな空気は日本の金メダルラッシュで一変するはずだ　メディアの『手のひら返し』はお約束」に共感してくれた。

茂木氏は自身のYｏｕＴｕｂｅチャンネルでこの記事を紹介し、五輪支持の考えを鮮明にした。

こうした姿勢が平野氏からは違和感を覚えられ、ブロックという流れに繋がったと茂木氏は見ているわけだ。

コロナを含めた政治案件をめぐっては人々が「分断」した。アメリカでは、共和党支持者はドナルド・トランプ前大統領に従いマスクをしなかったが、民主党支持者はマスクを着用した。

アメリカの各州を見ると、共和党知事の州（赤い州）と民主党知事の州（青い州）はクッキリとマスクやコロナ対策の面で違いがある。コロナもマスクも結果的には政治的イシューになったのである。

仲がいい人間まで分断するコロナ

ツイッターとはこういうものなのだ。これまで共感していた人々がコロナというテーマで袂を分かつ結果になるのだ。それは私も経験した。

山本一郎という著名な投資家・作家・ブロガーがいる。同氏はネット上では「切込隊長」としても知られ、匿名掲示板「2ちゃんねる」の運営にも携わった人物である。ネット黎明期に絶大なる存在感を示し、今もなお、ネット業界の重鎮だ。同氏と私もコロナで決別したのである。

山本氏のことは、2000年代前半から知っていた。2ちゃんねるの運営に携わっていることや、「切込隊長」としてのブログが人気であることも把握していたし、私自身も同氏の文章が好きだった。

いわば自分とは縁の遠い「ネット上の有名人」だった。だが、同氏との接点ができた。それは、私が２００９年４月に『ウェブはバカと暇人のもの』という書籍について、同氏がブログで言及してくれたのだ。私が日経ビジネスのサイトで本書にまつわる原稿を３本書いたところ、同氏の軽快な文章で多数のツッコミを入れつつ、「この人の言っている論旨は正しい」と言った形で言及してくれた。そのお陰もあり、本はよく売れた。

これにより、ネット業界界隈で私の知名度は上がった。多くの人から「会いましょう」というオファーが続いた。そんな中出会ったのがジャーナリストの津田大介氏だ。同氏が２００９年11月に『Ｔｗｉｔｔｅｒ社会論　新たなリアルタイム・ウェブの潮流』（新書ｙ）を出した後に出版記念イベントが行われ、そこで津田氏とは会った。

このイベントに行ったのは出版のお祝いをするのに加え、謝罪をするためだった。この前年、私は自身が編集者を務める「アメーバニュース」で、津田氏のツイートを使った「コタツ記事」を掲載し、同氏に迷惑をかけてしまったのである。

一体なにかといえば、世界中の道路の様子を画像にする「グーグルストリートビュー」

を巡り、プライバシー侵害を懸念するネットユーザーに対し津田氏が疑問のツイートをした件を私が雇っていたライターが記事化した件である。

津田氏は普段から肖像権や著作権に無頓着なネットユーザーがストリートビューについては懸念しまくっている件について二重基準ではないかと疑問を呈した。匿名の人々が、自分が写る可能性があるからとグーグルを批判するのに対して違和感を抱いたのだ。これをツイートした件で津田氏が多数の批判を浴びた。さらにはこの件については同氏のWikipediaにも書かれる事態となった。

たまたま津田氏はアメーバニュースの運営会社であるサイバーエージェントで講演をする直前だったこともあり「後ろから味方に撃たれた」と感じ、編集部に抗議をしてきた。私も津田氏の言い分はまっとうだと思い、謝罪に出向き、記事は削除した。

そんなこともあり、『Ｔｗｉｔｔｅｒ社会論』の出版を祝うとともに、再びお詫びをするために東京・お台場の東京カルチャーカルチャーというイベントスペースへ行き、津田氏と再会した。近々飲もう、という約束をし実際に東京・高円寺で朝までサシで飲んだ。同じ年齢ということもあり、我々は仲良くなり、以後津田氏が開催するイベントに呼ばれるようになった。我々は阿佐ヶ谷ロフトAというライブハウスで「ネット珍事件簿を振り返る」的なイベントを時々やっていたのだが、これを数回やったところで津田氏が「切込隊長を今度誘って3人でやろうよ」となり、以後3人体制で複数回やった。

しかし、途中、津田氏が山本氏を敬遠するようになり「中川君と山本さんでやってよ。オレは降りる」と言い出した。ツイッター上で何かと茶化すような物言いで津田氏に絡んでくるのが煩わしかったと語っていた。

それは仕方ないので、以後「山本一郎と中川淳一郎のオフ会」という形で多い時は年に4回、年末は必ず「ネットニュースMVP」と題してネットの珍騒動を酒を飲みながらガハハハハとお客さんと一緒に笑い、楽しい時間を過ごした。

私も相当忙しくなったのと、ライブハウスのような空間で客を笑わせる体験というのは若い人こそやるべきだ、という考えもあったため、2017年をもってこのイベントは終了。だが、ツイッターやフェイスブック上での付き合いは続いた。そして2018年、ブロガーでネットセキュリティの専門家・Hagex氏が福岡市内でIT関連の講師を終えた後、会場のトイレで同氏に恨みを持つ男から殺された。

Hagex氏を送る会を開催しよう、と山本氏から言われ、Hagex氏の同僚らとともに9月に送る会を実施。山本氏と会ったのはこれが最後だが、オンライン上での関係性は以前と同じだった。だが、これが変わったのがコロナ騒動である。

基本的に私は2020年3月をもって「このウイルスはそこまでヤバくない」という感覚を抱いたのだが山本氏は「このウイルスは相当ヤバい」という感覚を持っている。そのため、ツイッター上で私に対して苦言を呈したり、意見にいちいち反論するようになったのである。さらには「あなたはメディアも含めて発信する場があるが、そんな論を述べるのは社会にとって害悪だ」的なことまで言ってきた。

私はこれまでにコロナを怖がる人との対話は無理、ということを散々分かっていたため、山本氏とはこの件についてはやり取りをしても無駄だと考えた。そのため、同氏とは話は合うが、コロナに対してだけは合わないのでとにかくこの件で絡まないで欲しい、とツイッターでお願いをした。

そこで少し絡みはなくなるのだが、日を置いて再び絡んでくる。それが続いたため、宣言のうえでフォローを解除。しかし、どう考えても我々の間の関係性は破綻してしまったため、私は同氏をブロックしたうえでこう書いた。

「山本一郎をブロックした。オレらはもう終わり。阿佐ヶ谷ロフトに来てくださった皆様、本当にありがとうございました。コロナは仲がいい人間を分断するすさまじいウイルスです」

本当にコレなのだ。コロナさえなければ、我々は会うことは滅多になかっただろうが、ネットに関する「ご意見番」的ポジションを持った者同士として、つかず離れずの関係が続いていたと思う。

さらには、一生で一番の親友だったであろう一橋大学の同級生・常見陽平氏ともコロナが原因で縁を切った。彼は2022年10月、フェイスブックとnote（ブログ的なサービス）で「中川君がコロナ以降変わったと心配する人がいる」的な文章を書いた。いや、これは嘘である。彼が私のコロナ観を許せないだけだろう。「中川さん、コロナ以降過激ですね」といったことは共通の知人から言われたとは思うが、いちいち「心配する人がいる」はない。

そして彼はいちいち私の妻と私が経営する会社の社員Y嬢に「中川を心配する人がいる」と電話で伝えたのだ。私には何も言わずに。さらに、「中川君を心配している人がいる。これからも頑張ろうね」的にネットに書いたことによりこちらはキレ、縁を切った。「なんでオレらの仲なのに直接言わず、他人に、しかも『架空の心配している人物』を使ってやるのだ。お前の意見をオレ本人に言え」と思い、こんな姑息な男とは縁を切ると決めたのだ。「親友との決別」は呆気ないほど意外なタイミングで到来する。

結局コロナを巡っては、個々人の考え方によってその怖がり方が違い過ぎるのである。私は海外と比べて日本では陽性者が少なかったのと死者が少ないのに加え、若者が滅多に死なず自分の知り合いで陽性者が1年半で2人しか出なかったことが「そこまでビビる必要はない」という考えに繋がっている。そして、世界各国がマスクを外し、ワクチンの接種推進をやめ、ロイター通信は感染者数データの更新を中止した中、日本はマスクをほぼ全員が着用し、陽性者数を発表し、5回目のワクチン接種を推進している状況がアホらしくて仕方がない。2023年には6回、7回目も準備されているという。日本は大得意先様なのだ。

もちろん、街を歩いていて突然向かいからやってきた人が「うぎゃー、コロナだっ！」と絶叫してパタリと倒れて死んだのを見たり、毎日国内で1万人死んでいるのであれば恐怖しただろう。だが最初の死者が2020年2月13日に登場してから約1年での死者数は約6900人。1日あたり約19人である。日本では色々な理由で毎日3900人死んでいるのだから、自分自身の実感としては緊急事態宣言を4回も出したり、飲食店を何軒も潰すほどのウイルスだとは到底思えなかったのだ。

だが、山本氏はとにかくコロナを怖がっている。本人に確認する気もないが、同氏の身近な人に医師がいるし、介護もしている。さらには4人の子供がいることも影響したのでは。私は子供はいないし、親とも疎遠（それについても別の項で言及する）で、正直、親との関係は終わったものだと考えている。

コロナを怖がる人の思考というものは大抵このようになっている。

①海外であれだけ死んでいるのだからヤバいウイルスに決まっている
②専門家とメディアが連日のようにその怖さを伝えているから怖いに決まっている
③体験者は「一生で一番辛い体験だった」などと語っている
④誰かにうつしてしまうと誰かの人生を毀損させてしまうかもしれない。私は殺人者になりたくない
⑤未知のウイルスであるだけに、どんな恐ろしいことがあるか分からない
⑥味覚障害などの後遺症があるため絶対にかかってはいけない
⑦コロナは感染対策と我慢で撲滅できる

他にもいくつもあるが、こうした考えを持った人々との対話は無理である。「一生怖がっておいてください」としか言いようがない。コロナを過度に怖がる人の特徴は、怖がらない人間に「改宗」を迫ってくるところである。いい年をした人間など、他人に言われたからといって、考えを変えるものではない。彼らとしては「怖がらないとあなたは死ぬかもしれないし、あなたの家族も死ぬかもしれない。そして関係ない誰かを殺してしまうかもしれない。だからキチンと怖がり、自粛をし、マスクをしなさい、ワクチンも打ちなさい」と親切心と公共の道徳として言っている。こちらは彼らに対して改宗させようとせず、「好きにすればいいでしょ？　マスク着けてワクチン打ちまくれば？　ただし、こちらに指図するな」と思うのだが、彼らはこちらを変えて来ようとする。それなのに未知のワクチンに対しては全幅の信頼を置いているのだから、結局「自分の頭で考えられない」「野生の勘というものを失った」わけである。

正直、そんな人間とは付き合えない。あれだけ何度も一緒にイベントをし、共著まで出した仲であっても、だ。

そういった意味で、前出のツイートの通りコロナというものは仲の良かった人間同士を引き裂く恐怖のウイルスであるのは間違いない。常見氏との28年間の縁はたった一つのコロナに関する文章でぶっ壊れたのである。全然、後悔はない。縁が切れて本当に良かった。

コロナで繋がる人々もいる

一方、不思議なことだがコロナで繋がった人々もいる。それは「コロナはそこまでビビらないでいい」という私のような考え方の人々だ。「反自粛派」とも言われる人々だが、非常識な少数派がツイッターで傷をなめ合う状態が2年以上にわたって続いている。

不思議な感覚なのだが、コロナについてはデータをどれだけ出そうが「コロナは怖いんです」の一言で反自粛派は潰される。いくら陽性者数の増減は「波」があり、勝手に増え、勝手に減り感染対策も人流も影響がないにもかかわらず、「対策は効果がある」という説が支配的なため、まったく日本社会は変わらない。

10週間連続で世界一の陽性者数を記録しても「マスクをしていなかったらもっとひどいことになっていた」という検証不能な反論が来る。こうした論説に日々、違和感を抱く人が多いのだろう。ツイッターで持論を主張し、愚痴を言い続けているうちにいつしか「この界隈」が形成されていったのだ。

相互フォローになる場合も多いし、各地の人々が「リアルの世界にはいない分かり合える少数派」という存在をツイッターでようやく見つけられたのである。ただし、数で言ったら圧倒的に少数派である。そんな関係性が心地よいのか、彼らはオフ会を頻繁にしている。酒を飲むことが完全に悪事と化し、常時マスクの着用を求められるこの空気感に辟易し、自治体の要請・命令に従わず酒を出したり通常営業をする店を選び、宴会をするのだ。皆、宴会の様子はツイッターに公開し「今日は楽しかった～」などとやっている。

　私も佐賀の隣・福岡県の多数の人々と唐津で会った。さらに、もっと言うと全国から２００人以上が唐津にやってきた。まさか「コロナがそこまで怖くない」「マスクが大嫌い」というだけの理由で見知らぬ人と出会うとは。しかも複数回会っているわけで、この２つの要素を持った人間同士は根っこの考え方が合うのかもしれない。そして、ツイート内容を見ても分かるのが、とにかく皆明るく、ユーモアのセンスもあるのだ。ツイッターのＩＤもなかなか味わい深いものが多い。

「とにかく明るい不動明王」「『おっすおらコロナ』と言う暇ないウキウキな夏希望」「福岡でノーマスクのミホ」「すべすべ銀行」「マスクしたら死ぬＫＡＭＩＹＡＭＡ」「どこでも酒を飲む男」「三代目Ｊ　ＳＯＵＬ　広能昌三～コロナ騒動の最終章へ～」「素顔に戻ろう／新潟市内で唯一素顔で街を歩く男」「Dr.ゲレゲレ」「全裸に雨合羽」「ポン・コツオ」

こうした人々とは、ツイッター上で虐げられた者同士として、妙な連帯感を抱き、テレビに出る専門家の妄言を叩く。或いはGoToトラベルキャンペーンを野党やメディアが猛烈批判をし、撤回に追い込んだ後、テレビが旅行業界関係者やホテルがキャンセルになったことを嘆く、といった報道をする際に「お前らが追い込んだんだろ!」と一斉にツッコミを入れる仲間となった。

菅前首相の下手なプレゼンではあるが

2021年8月上旬、菅義偉首相(当時)が「重症者と重症化リスク高い人以外は自宅療養に」と会見で述べたところ、猛烈な反発が巻き起こった。PCR検査推進をした栃木県の医師で、テレビに出まくった倉持仁氏は菅氏の辞任まで求めるほど苛烈にこの件についてTBSの報道番組で激怒し、絶賛された。

彼らの主張は「重症者以外を見殺しにするのか!」ということである。だが、散々医療逼迫・医療崩壊を訴えてきた医療界をなんとかするために、致死率が若年層では極めて低いコロナ陽性者に無駄な入院をさせないための菅氏による発言だ。

結果的に菅氏はこの会見により「人でなし」「命の選別をする冷酷なる殺人者」といっ

た扱いを受けたが、拡大解釈である。さっさと「コロナは重症者以外にとっては大したことはない」を言えばいいのに、一部メディアは「中等症も自宅療養へ」的な報道をし、さらに「中等症もヤバいんだ」という情報をかぶせてきて、菅氏の決断を人命軽視である、といった決めつけをした。

実際菅氏は「中等症」云々については述べていない。あくまでも命にかかわる人を重点に絞って入院させるべき、と言ったのだが、倒閣運動をやりたいメディアやSNSユーザーに完全に利用されてしまった。これは菅氏のプレゼンが下手なだけである。

そして、今回新たなる繋がりはコロナにビビる人の間でも生まれた。彼らは、テレビで恐怖を煽る医療関係者や専門家の「信者」のような存在で、とにかく専門家が一つツイートすると「先生のお陰でなんとか被害は抑えられています！　いつもおつかれさまです！」や「先生の言うことを聞かないから感染者が増えてしまいました（泣）」などと書き、我々をバイオテロリスト扱いしてくる。

当然、我々は嚙み合うワケもなく、突っかかってくる者は互いにブロックをする。そう、私が山本氏にしたようなことが日々展開されているのだ。山本氏の場合は、知り合いだったため、ブロックするまでには数カ月は要したものの、面識のないＩＤであれば容赦なくブロックをする。これが互いのために最善の策なのである。

ただし、ワクチン接種をめぐっては、この「反自粛派」の中でも仲違いは発生。ワクチンを推奨する反自粛派に対しては「打っちゃったの……」と幻滅する声も見られた。

何はともあれ、コロナは人々を決別させる効果を持つすさまじいウイルスだったことは間違いない。

関心とともに付き合う人間は変わり、「こんな面があったのか……」と人は去る

前項までに見た通り、ツイッターにおいては、完全に付き合う人が変わってしまった。リアルな世界の知り合いというか付き合う人については「学生時代の友人」「会社員時代の知人」「フリーになってから出会ったモノカキ・出版関係者」「広告・広報の仕事を通じて知り合った人々」に加え、この2年は「佐賀県唐津市関係者・佐賀県関係者」が加わった。

こうした人々はすでに人間関係ができているため、離れたりはしないものの、恐らく私が書く原稿やツイッターでの発言を見て離れる人というのは間違いなくいる。山本氏や常見氏の場合はこちらをたしなめたり批判をしてきたのだが、ほとんどの人は何も言わずに

フォローを解除したり「この人とはもう付き合えない」と思って去っていくもの。

それでいい。人間はすべての面で共感しあう必要はないし、一つの部分で考えが合わないだけで全否定をすることもあるもの。こうした人間関係は、ネガティブな感情により終わることはあるものの、案外「興味対象が変わった」ということだけで終わることもある。

それこそ、とあるアイドルやミュージシャンの熱狂的ファンだったから付き合っていたものの、いつしかどうでもよくなってしまい、イベント等で会わなくなる。ネット上のコミュニティにも顔を出さなくなり、疎遠になる、というパターンである。

かつて、よく読んでいた食べ歩きブログがあるのだが、それらのコメント欄には別の食べ歩き系ブロガーが書き込みを頻繁にしていた。あれから10年が過ぎて見に行ったらブログ自体の更新は続いていたものの、コメント欄の常連達は消えていた。

自分自身にしても、２００９年、ツイッターを開始した時はＩＴ業界の人々との接点が多かったが、それが途中からネトウヨ（「ネット右翼」の略だが、実際は韓国と中国を極端に嫌い罵詈雑言を浴びせる人々）がネット上で大暴れをしていたため、彼らを批判するべく、同じ考えを持つ人々と交流があった。

しかし、途中からアンチネトウヨの人々の間でも内ゲバがあったり、私も仲間と思われていた人間から後ろから打たれるようになり、むしろ彼らの方が攻撃性がよっぽど強いと感じるようになった。そこでアンチネトウヨの人々（親韓系）を茶化す側にまわり、若干ネトウヨ側だが実際は中道の彼らと仲良くなった。すると「中川がネトウヨ化した」などと言われる。

結局、ネトウヨvs.親韓系という構図と我々（冷笑系と言われる）vs.親韓系という構図になるが、これらの動きが活発になるのは、結局、韓国ネタがどれだけ盛り上がるかにかかっている。「冷笑系」というのは、親韓派（パヨク／後述の「ぱよぱよちーん」と「サヨク」を合わせた言葉）がつけた呼び名で、どっちつかずの態度を取り、ネトウヨのことも親韓派のことも「どっちもどっち」と冷めた目で見る人々を指すらしい。実際のところは、イデオロギーがなく是々非々で考えているだけなのだが。

2019年夏、経済産業省は、日本が輸出したフッ化水素等を韓国が不正に北朝鮮へ横流ししていた疑惑があったため、輸出規制をした。理由は「安全保障上の懸念がある」だった。半導体製造に必要なものだが、韓国は日本ほど純度の高いものを作れなかった。韓国に大ダメージを与える、との見込みもあり、この時に親韓系は、日本の態度に激怒。それ以外の人々は「ざまぁみろｗｗ」のような反応をした。経産省の物置のような殺風景な部屋で韓国産業通商資源部の課長と経産省の課長らが会談。5時間半にもおよぶ会談は平行線に終始。

この冷遇ぶりに親韓派は激怒。ネトウヨや我々は「経産省の失礼さがいいw」といった反応だった。その後、韓国はGSOMIA（軍事情報包括保護協定）破棄などの報復を打ち出したが、ネットでは「どうぞどうぞ」の声が目立った。韓国の市民団体も、大塚製薬のポカリスエットの中身を捨てるパフォーマンスをしたり、日本製品の不買運動を行うなどした。

この時、完全に韓国ネタはお笑いのようになっており、私は『ネットの「韓国ネタ」はもはや娯楽か「嫌韓」から「嗤韓」へ』という記事を『週刊ポスト』に寄稿した。これが親韓派の逆鱗に触れ、私はかなり叩かれた。だが、ネトウヨと冷笑系からは「その通り！」と支持された。

そして、この頃私がツイッターでコミュニケーションを取っていたのはこの是々非々の人々なのだが、2020年1月の新型コロナウイルスがネット上のコミュニケーションを大幅に変えた。

私はその都度もっとも関心の高いものについてネット上で付き合う人々を決めていたと

ころがある。初期のIT系の場合は、「インターネットは社会を良くする素晴らしいもの」という楽観論に異議を唱えたかったことから関心が高かった。次いでネット上で韓国へのヘイトスピーチを撒き散らすネトウヨを問題視し、次いで、とにかく韓国への疑問を呈すと集団で襲って来るパヨクを問題視してきた。

コロナ以降は、「この騒動はヤバい」「そこまで大したことのないウイルスに日本中が振り回されている」と感じ、この件で連帯、ケンカをしたデータも用意しながら「この騒動はマスクを外せば終わる」「感染症の分類が2類相当以上だから医療ひっ迫する」「医師会・知事・マスコミ・政治家は煽り過ぎている」といった主張をしてきた。

何しろ自粛生活がストレスだし、マスクを律義にする人々が「従順な群れ」のように見えて不気味だったのだ。そして子供達も「黙食《もくしょく》」を求められ、遊ぶな、喋るな、夏休みは延期しろ、などと異常な状態に入っていったため、黙っていられなくなったのだ。

こうして、世の中では少数派の声をあげる「反自粛派」「反マスク派」と呼ばれる人々がツイッターで連携し、今に至っている。時々過去、韓国などをめぐり一緒に連携した人とはもうほとんどコミュニケーションを取ることはない。たまたま目に入ったら「元気ですかー?」などと聞く程度だ。

かくして人間関係はリアルでもネットでも次々とその時々の関心事と問題意識により、変化していく。

世界の潮流から取り残された日本的ガラパゴス思考

ストラテジストの永江一石氏は、2021年5月13日に更新したブログの『上手く行かないときに、何も考えないでさらにツッコめば良くなるってアフォですか？』というエントリーを執筆。以下が日本の「お客様視点」の失敗だと分析している。

〈ガラケー、つまりガラパゴス携帯と言われるように、日本のメーカーはフィーチャーフォンにどんどん機能を載せていった。多くの機能はほとんどのユーザーには使われなかった。そして、機能は自分でカスタマイズできる、最初はドンガラでなにもはいっていないスマートフォンが出てきて駆逐された。

機能は足せば足すほど売れるようになる

と信じた結果だと思います。売れなくなってきたらどうして売れなくなってきたかを考

えなかったし、家電メーカーにはそこまで柔軟な思想は無かった。というより上が分からないから下もやる気をなくした。〉

これは腑に落ちる解説だった。場を用意し、そこに参加するプレイヤーを募れば「地主」として儲けることができる。

ただし、私は外資でもマイクロソフトのように、Windowsを毎度アップグレードして余計な機能が付くのには辟易している。PCを買えば勝手についてくるOSであるだけに、避けて通れないのだが、とにかく余計な変更が毎度多い。ブラウザはFirefoxを使っているのだが、Microsoft Bingが毎度立ち上がり、グーグル検索で「Microsoft Bing　立ち上げない　方法」などと打ってそのやり方を実行する面倒くささがある。さらに、「Microsoft Bing　うざい」を検索して同好の士を見つけてホッとしたりする。

マイクロソフトのような会社であれば相当儲かっているだろうし、年がら年中アップデートする必要もないと思うのだが、社員が案外暇なのでは？　と邪推してしまう。もはやインフラ企業のようなものなのだから安定性だけ重視すればよいのに、とも思ってしまう。

プラットフォームや、デファクトスタンダードを確立した会社はこのように社員を暇にさせないために余計な仕事をさせることが大事になってくるが、日本はそうではない。

1980年代、他国の技術をパクったうえで、改善をさせた製品が世界的に大ブレイクした時は、日本は欧米各国からすれば脅威だった。

だが、21世紀になると、改善をさせることだけではまったく意味がない。何しろ家電にしても「キチンと洗える洗濯機」「キチンと温まる電子レンジ」「キレイになる洗濯機」程度の機能で十分なのに日本の家電メーカーは「ネットに繋がる」「喋る」などとどうでもいいことに知恵を使い、大局観を見失ったのだから。そんな国が各国からすれば脅威なワケがない。「お客様の痒いところに手が届く」的発想を続けるのであれば、衰退国まっしぐらである。

日本的配慮からの決別

私は広告会社・博報堂の社員だった頃、企業の記者会見や、展示会などのイベント運営にあたっていた。その本番中、とにかく暇なのである。なぜかといえば、我々が発注したイベント会社のディレクターがバイトスタッフやMCなどの管理をしているためだ。このディレクターの指令のもと、展示物を並べたり、来場者にチラシを渡したりアンケートを書いてもらってそのお礼のノベルティを渡したりする。イベントのプロが現場を仕切っているのだから、そこに余計な口出しはできないし、現場で自分がチラシを渡すわけにもいかない。何しろディレクターは各バイトスタッフの持ち場を決めているのだから、その流れを乱すのはご法度である。

その時の私の役割は「現場統括」である。私は企画の部署の所属だった。「エラさの順番」としては、「クライアント」→「博報堂営業」→「博報堂企画スタッフ（私）」→「イベント会社ディレクター」→「照明・設営・バイト・キャスティング会社等その他スタッフ」となっている。こうした構造になっている中、クライアントは当然ここにいなくてはならない。何しろこの人が「総合統括」であり、何か問題があったら対処しなくてはならないし、同社にとっての顧客が来た時などはキチンと対応をしなければならない。

この人は明確に役割がある。そして博報堂の営業としても、大切なお得意様の大仕事であるだけに、ここは制作の責任者としてこの場にいなくてはいけないし、何しろクライアントとはツーカーだ。イベント会社ディレクター以下はとにかく現場で必死に体を動かさなくてはならない。こうなると私だけが中途半端な立ち位置になってしまうのである。

クライアントとはそこまで深い関係性ではないし、自分はあくまでも現場対応が仕事である。だが、本当にやることがないのだ！　イベント会社ディレクターとはすでに打ち合わせは多数しているし、「後はお任せで！」とやってもいいのに、つい何かをしてしまう。

そもそも、この打ち合わせにしても、この会社が優秀なものだから運営マニュアルや図面の説明を聞いて「椅子はもう少し高さがあるものの方がいいんじゃないですか？」などと足りない部分をこちらが言うだけなのだ。ただ、正直、「何かを言わなければ自分が無能だと思えてしまう」ということから、余計な一言を入れてしまう。その椅子の高さが10㎝変わったとしても、実際に現場ではそれほど違いはない。あくまでも私の存在意義のためにこの椅子の高さが10㎝変わるだけなのだ。

こういったことはすべて分かっているのに、つい口を出し、手を動かしたくなってしまうのだ。しかし、自分が意味のないことをやっていることは理解しているために、次にやることは撮影とメモになる。あたかも現場を改善させるために仕事をしているフリをするだけ。

私が会社員を辞めた理由の一つは、自分が実際に手を動かさない仕事が多過ぎるからだ。結局「プロの発注屋」みたいな存在でこれからもあり続けるということに耐えられなくなり、自らが商売の最下流で手を動かせるフリーの編集者・ライターになった。

今の仕事に対してどこか疑問を持っている場合、どこに嫌悪感があるかを考えるといい。

私の場合は「自分が手を動かさない」「下請け任せで自分にスキルが付かない」という2点に嫌悪感を抱き、結局サラリーマンは辞めた。だったら下請け会社に行けばいいじゃないか、という話にもなるが、明らかに博報堂よりも給料が下がり、電通や博報堂の人間からコキ使われる生活になる。そんな道も嫌悪感があった。

結局サラリーマンという生き方がイヤでイヤで仕方なかったというだけだろう。かくしてその後、一度も勤め人としての生活をすることはなかったし、これからもないだろう。ただ、バーの一日店長ぐらいだったらいいかな、とも思っている。

サラリーマン時代のこうした配慮については今となっては無駄だったと思うし、他の人も私が何もしなかったとしても、まったく気にしていなかっただろう。「(別に役に立たなくても)我々にとっての管理者ではあるので、現場にいてくれるだけでOKですよ」と思っていたはずだ。ただ、私はこうした配慮風なことをすることにより「仕事したつもり」になり、周囲のキチンと働いている人に近づこうとしていたのだ。だが、本当に意味はないことばかりやっていた。だからこそ、自らが末端の手を動かす人間になった時は心底籠の中の鳥が空にはばたいたような気持ちになり、「ようやくオレの仕事人人生が始まった」と思った。

ただし、大手広告代理店の社員が仕事をしていない、という風に読み取って欲しくない。あくまでも私がそうだっただけであり、向いていなかっただけである。

第3章

ケチになり過ぎた惨めな日本人、コスパ・無料信仰との決別が必要

オー、日本は安いね！

『安いニッポン 「価格」が示す停滞』（中藤玲 日経プレミアシリーズ）という本を読んだが、基本的にはこの30年ほど賃金も物価も上がらぬ日本がいかに老衰国になっているか、という事実を徹底的に紹介する本である。訪日観光客が増えた理由は日本の持つ観光資源が魅力的というよりは、これだけすべてが安いのに食やサービスのレベルが高い点だということが良く分かる。

また、ニセコのような外国人向けのリゾート地ではラーメンが3000円で、3億〜5億円のコンドミニアムがアジアの富裕層に売れているという話もあった。物価の高さに音を上げ、元々いた日本人住人はニセコから脱出しているのだという。

2015年、イタリアに行った時に物価の高さに仰天した。何しろ、ランチが2人で9000〜1万1000円するのである。2人で行き、パスタとサラダと魚のグリルをいずれも一皿とビールを1人2杯飲むとこの金額になる。日本だったら2人で4000円ほどだろう。

また、2000年代中盤まで頻繁にタイへ行っていた。何しろ物価が安いので。それなりに高級ホテルでも1泊5000円ほどだったが、当時は日本人客がそのホテルには多かった。だが、2019年末~2020年初頭、1泊2万円近くになっており、インド人だらけになっていた。

個別の商品価格を見ても、2000年代前半、路上販売のパイナップル、スイカ、パパイヤ、マンゴーは10バーツ(32円)だったが、2019年に行った時は30バーツになっていた。しかも1バーツが3・7円ほどに上がっていたため、円建てでは実質3・5倍になっている。そして25バーツだった路上のミカンジュースは50バーツに上がっていた。ドアのない店の定食屋でもおかず2品とスープで25バーツほどだったのが40~50バーツにはなっていた。マクドナルドのビッグマックは日本では410円だが(執筆時点)、タイでは443円(2021年の価格)。スターバックスコーヒーやダイソーも日本よりも高い。まともなレストランに行くと2人で6000円ぐらいするのも普通だ。これについては日本では8000円ぐらいだろう。だが、かつて物価が10分の1と感じられていたタイは今では日本の3分の2といった感じになってきている。

1996年、いしだ壱成が登場したタイ国際航空のCMのキャッチコピーは「タイは、若いうちに行け。」。

1980年代中盤~2000年代中盤ぐらいまで日本人が世界では相対的に金持ちで、

ブランド品をパリやニューヨークで買い漁っていたり、東南アジアのリゾート地でダイビング三昧といった状況だった。現地のホテル従業員やツアーガイドにチップを渡し悦に入っていたが、これからは逆の立場になっていくだろう。欧米人のみならず中国人や東南アジアの中流の観光客が「オー、日本は安いね！」なんて言いながら我々にチップをくれる未来がやってくるかもしれない。

ダイソーも日本の方が安い

２０００年代中盤まで海外で日本人は明らかに白人と同格だった。中国人や韓国人よりも上客扱いをされていた。だからこそ、タイで道を歩いていると「コニチハ！」「イイオンナイルヨ！」「エロビデオ！」などと客引きにとにかく頻繁に声をかけられていた。だが、２０１５年以降はとんと声をかけられることはなくなった。かけられたとしても「ニイハオ！」か「アンニョンハセヨ！」だ。

ＪＴＢによると、２０１８年の日本人の海外出国者数は１８９５万人。韓国の放送局ＫＢＳによると同年の韓国人は２８６９万人だという。当時の日本の人口は１億２６４４万人で韓国は５１６３万人。韓国の人口が日本と同じで同じ割合が海外旅行をしていたら

7734万人ということになる。

この頃、日本人の海外出国者数が少ないという話題はネットに多数出ていたが、その時の日本人による反論はこのようなものが多かった。

「だって日本の方が清潔だしメシもうまいし安い」

「海外の治安の悪さが心配」

「わざわざ海外など行かずとも日本で十分楽しい」

要するに、「日本最高！」ということなのである。

そして、『安いニッポン「価格」が示す停滞』では、サンフランシスコでは年収1400万円が低所得扱いされていると紹介。同書は元々日経新聞の連載をベースとしていたが、この時の記事を受けて2019年12月16日の『羽鳥慎一モーニングショー』（テレビ朝日系）で、OECD加盟国で日本だけが成長しておらず、サンフランシスコでは1400万円でも「低所得」扱い、という話を紹介。日本の家庭あたりの所得は500万円、とも説明していた。

厚労省によると給与は男性441万円、女性249万円。外国人が日本のダイソーで爆買いするのは、日本の方が安いから。同書によると、ダイソーの価格は各国、地域以下の通り。
日本：１００円
中国：１６０円
台湾：１８０円
タイ：２１０円
シンガポール：１６０円
オーストラリア：２２０円
アメリカ：１６０円
ブラジル：１５０円
これは嘆くべき話である。しかし、これに対してネットでは反発する人も一部いるのだ。
それは以下のような論に表れている。

①日本で十分に楽しく生活できているんだからいいじゃないか
②お前達は家賃60万円、ランチに３０００円かかるサンフランシスコに住みたいか？
③それでも日本はＧＤＰ世界3位だろ

④こんなに安全な国はない
⑤税金・医療費も安いし、物価も安くて最高じゃないか

③については「お前達は何位になるまでそれを良しとするのだ」という危機感を持つべきだし、ＯＥＣＤ（経済協力開発機構）加盟国の中ではアメリカ・メキシコに次ぐ人口３位。一応「先進国」扱いの中で人口が多いんだからGDP3位というのも驚くべき話ではない。問題は「１人当たりの生産性」についてなのだ。そして、円安が進行した２０２２年秋、ついに米ドルベースでＧＤＰは人口８３９０万人のドイツに抜かれ、４位になった。日本の人口は１億２４８５万人。

ここではまず②の「家賃」「外食」から考えるべきだろう。東京では１人暮らしで満足できる家だと家賃12万円、ランチが８００〜１０００円ほど。地方では家賃６万〜８万円、ランチは７００〜９００円とでもする。「家賃60万円、ランチ３０００円のサンフランシスコなんて最悪だろ？」という発想だが、それは「下から上を見ている」ことに他ならない。サンフランシスコの人間が、東京事務所に駐在して、サンフランシスコと同様の賃金をドル建てで貰えるとしたら、松濤のマンションやら高級タワマンを借りる「上級国民」にな

るわけだ。サンフランシスコの年収1400万円の下流サラリーマン（2019年12月16日、1ドル＝110・43円）が2022年秋に日本に来た場合、1ドル＝146円の為替であれば、年収1851万円となる。

かつて、日本の学生がタイやカンボジアや台湾へ行き、「マジで安い！」なんて言いながらビールをバンバン飲んでいたが、今では海外から来た彼らが日本でやっているのだ。そして、日本人は学生の身分ながらリゾートホテルに泊まることができたが、そこは現地の安い賃金の労働者があってのことなのだ。若くして海外で贅沢をしていた日本人だが、今後はシンガポールやマレーシアのみならずタイ、ベトナム、台湾などの中流層にかしずく未来が待っているかもしれない。

②のような「物価が高い国に住みたくない」という発想になるのは普段、あまりカネを持っていない日本の人々としか付き合っていないからだろう。「彼らはこちらに余裕で来られるけど、オレらはサンフランシスコに行けない。それは悔しい」という発想になった方が本当はいい。その方が、「なにくそ！」とカネを稼ぐモチベーションが生まれる。最低でも彼らは「世界のどこでも生きられる」という選択肢を持っているのに、日本人の大多数がその選択肢を持っていない状態こそが問題なのである。

国の強さを表すのは通貨の価値だが、私は1995年、1ドル＝79円の時、アメリカ旅行をした。円の強さをこの時ほど感じたことはない。学生街でまともな外食をしたら4～5ドルはするもの。すると320～400円でアメリカのジャンボサイズのメシで腹いっぱいになれたのだから。吉野家の牛丼が400円の時代だっただけに、アメリカの方が満足度は高かった。ホテルに泊まろうにも60ドルのまともな部屋であっても4800円で済む。

こうした経験を経たうえで2015～16年にイタリアに行ったら、ビール2本とパスタで4000円！ランチ4000円が通常モードなのだ。しかし、周囲のイタリア人を含めた白人や中国人は平然とこれらを食べている。ベネチア名物のゴンドラに乗るアジア人は中国人ばかりだった。円の力が落ちたことと、日本国内の給与水準の低さを痛感し、「もうヨーロッパには来ない。惨めな気持ちになるだけ」と感じてしまった。ただし、独自通貨「コルナ」を持つチェコの物価は安かった。

日本買いがしやすい現状

①の「日本で十分に楽しく生活できているんだからいいじゃないか」と④の「こんなに

安全な国はない」については セットで考えるが、というかこれ、②と③も全部考え方としてはほぼ同じだな。ええい、すべてまとめてしまえ。⑤「税金・医療費・物価が安い」は詳しくないので述べない。

「すべて、『日本買いがしやすくなる』ということに落ち着くのだ」

この言葉がすべてである。バブル時代、日本が世界中でブランド品を買い漁ったり、企業の買収を仕掛けまくった時期があった。あれは日本のあの時の富をもってすれば物価が安い国のものをいくらでも買えた、ということである。1989年の時価総額の世界ランキングを見るとトップ50に入っている会社は米誌「ビジネスウィーク」の1989年7月17日号によると以下の通りである。なお、このデータはダイヤモンド・オンラインの2018年8月20日付の記事に掲載されたものだ。

1位：NTT、2位：日本興業銀行、3位：住友銀行、4位：富士銀行、5位：第一勧業銀行、7位：三菱銀行、9位：東京電力、11位：トヨタ自動車、13位：三和銀行、14位：野村證券、15位：新日本製鐵、17位：日立製作所、18位：松下電器、20位：東芝、21位：関西電力、22位：日本長期信用銀行、23位：東海銀行、24位：三井銀行、26位：日産自動車、27位：三菱重工業、30位：三菱信託銀行、36位：東京銀行、37位：中部電力、38

位：住友信託銀行、41位：三菱地所、42位：川崎製鉄、44位：東京ガス、45位：東京海上火災保険、46位：NKK、48位：日本電気（NEC）、49位：大和証券、50位：旭硝子。

なんと、トップ50社の内、32社が日本企業だったのだ。そして、各種データからダイヤモンド・オンラインが作成した2018年の世界ランキングでトップ50に入った日本企業は35位のトヨタ自動車のみ。

ここまで日本は凋落しているのである。

日本の若者は1990年代、東南アジア諸国で「安い安い！」と言いながら現地の人々を見下しながら若干お大尽プレイのようなことをしていた。

今、中国人やタイ人、欧米の観光客は日本で買い物を満喫している。小売店で買う分にはいいものの、これがマンションの投機（これはもう十分、中国人らによって進んでいる）に始まり、土地、水源、企業の買収続出に繋がったらどうするか？　外国からやってきた金持ちに使い倒されるかつてのプランテーションの如き状況になってしまう恐れもあるのだ。さらに、コロナに脅え、2020年から2022年は鎖国をし、外国人を入れず日本人はすっかり自粛モードに。「コロナが落ち着いたらね」「こんなご時世ですから」が時候の挨拶となり、消費が低迷し、出生数は激減した。

「日本すごい！」でこの50年ほど来ていたが、それはもう1995年ぐらいでやめるべき話だったのだ。バブル崩壊から就職氷河期がやってきて、デフレは改善せず、値上げをすると企業にクレームが寄せられる。安物には大行列ができる惨めな光景がそこかしこで展開される。

多分、今我々は「海外から投機の対象になりうる発展途上国入りまっしぐら」であることを自覚し、値上げに耐えることをまずはし、金持ちはカネをガンガン使い、あとは新たなる成長のエンジンを作ることに邁進する必要があるのだろう。そのためには基礎研究にカネをつぎ込む必要がある。2位じゃダメなんだよ！

その際にネックになるのが英語力なので、文科省、そこはなんとかしなくてはならない。海外の中流に使い倒される日本人労働者ばかりになったとしても、その際、他の日本人との競走に勝つためにも英語力は必須である。だから、とにかく英語スキルは上げなければならない。

スウェーデンの環境活動家のグレタ・トゥンベリ氏にカッカしている日本人の大人も多かったが、あれは16歳であそこまで英語がうまいのに対して劣等感を抱いた人も多かったのでは、と感じられる。結局、日本企業が海外に進出しまくったり、海外の金持ちからカネを誰もがふんだくるようにできるには、英語力が必要。そして英語力がないことについても上記①のように「だって日本にいればすべて大丈夫だもーん」「日本は、英語ができなくても大丈夫なほど大きなマーケットがあるから問題ナシ」的に開き直り、低い給料に甘んじる。

それでいてソフトバンクが牛丼1杯無料になる企画をすれば道が渋滞するほどの車列を作り、無料の牛丼に群がる。こうした行列に並んだ人間はツイッターで並んだことを報告するが、若いにもかかわらずマインドだけはバブル期の「日本すげー」的である。危機感ってもんは持った方がいいに決まっているのは明白だ。今の日本は先人が築いてきた「取りあえず快適だから」の上に甘んじているだけ。危機感を持たずこの状況を続けても成長しないで衰退するだけである。

ここがヘンだよ日本人→日本すごい！という変化

日本の衰退については、テレビ番組の傾向を見ると分かる。

『ここがヘンだよ日本人』（TBS系）というバラエティ番組が1998年から2002

年まで放送されていた。この頃、日本はまだ金持ち国家としての体をなしていた。その後、やたらと「日本すごい！」系の番組が登場するようになるのだ。『世界が驚いたニッポン！　スゴ〜イデスネ!!視察団』（テレビ朝日系）が象徴的だが、この手の番組が増え、外国人が日本を絶賛している様子が描かれる。

また、「クールジャパン」などとして、フランスでアニメ関連のイベントが盛況だった、といった報道もあった。

だが、私は白人で日本をすごい！　と言う人はかなり少ないのでは、と見ている。もちろん、現在の大谷翔平の活躍については文句なく「すごい」が、アメリカ人のメンタリティとしては別に日本人がすごいわけではなく、大谷がすごいだけだと冷静に見ていることだろう。過去にアメリカにいた経験からすると、基本的に「Popular」と呼ばれる人気者タイプ（『ビバリーヒルズ青春白書』に出てくるタイプの生徒）は日本を含めたアジアにはあまり関心がない。

アメリカの保守的な人間は未だに刺身を恐ろしがって食べないし、野蛮人だと扱っている。憧れの観光地は海外ではなく、フロリダやカリフォルニア、ニューヨークなどの国内だ。せいぜいアメリカ本土から近いバハマである。それだけ自国に誇りを持っており、いちいち「アメリカすごい！」など言わない。すごいことが分かっているからだ。衰退が決定的になった2010年代は「日本すごい！」をテレビが言い続けた。一方2000年代は日本は自国を自虐的に笑っていた面がある。この時は余裕があった。そしてコロナ以降、日本は徹底的に欧米、台湾、オーストラリア、ニュージーランド、韓国、中国よりも遅れている、と自信を喪失している。

嘉悦大学教授で元内閣官房参与の高橋洋一氏が日本のコロナ被害を「さざ波」と表現したら「亡くなった人の前で言えるか！」などと批判が殺到。人口比での死者数はすべての主要国よりも少ない。2021年11月12日は、worldometer によるとアメリカは912 14人、イギリスは40017人、ドイツは48184人。そしてこの日のデータは worldometer には出ていなかったが、厚労省のデータを基にした東洋経済オンラインのデータによると日本は195人である。

それを言うと台湾とニュージーランドとオーストラリアの数字を出されて「ほれみろ、日本は惨憺たる状況にある！」と言われる。結果的に台湾も激増したし、ニュージーランドもオーストラリアも激増し、ロックダウンをした。

日本のコロナ対策が最悪とされるわけ

しかし、「日本のコロナ対策は最悪」と言われる。その急先鋒が、『羽鳥慎一モーニングショー』（テレビ朝日系）に出演するコメンテーター・玉川徹氏である。私が2021年11月9日に現代ビジネスで書いた「コロナ対策の1年9ヵ月…ゴールポストが無限に動く『無理ゲー』を日本人はいつまで続けるのか」という記事の玉川氏に関する部分を引用する。この段階でアメリカは日本よりも圧倒的にコロナ陽性者も死者も多い。どれだけ玉川氏は日本がダメ過ぎる、と言いたいのか？　ここまで来るとただの「日本へのクレーマー」でしかない。

〈7月8日、テレビ朝日『モーニングショー』コメンテーターの玉川徹氏は、大谷翔平が松井秀喜氏の日本人最多記録を超える32号HRを放つ様子を見て「観客がマスクをしていない。これがワクチンを打った国と打っていない国の違い」と言った。

ただ、この段階ではアメリカの陽性者は日本よりも圧倒的に多かった。人口が2・6倍のアメリカが6万6832人で、日本は2193人だ。そして今や日本の方がアメリカよりもワクチン接種率は高い。ワクチン関係ないじゃないですか？　マインドの問題でしよ？

そんな同氏は、マスクを外したイギリスが10月に入り1日の陽性者数が約5万人になったことを受け、「やっぱりマスクの効果が高いっていうのは科学的に証明されている話で。やっぱりマスクを続けるっていうことを日本人はやめてないという点が非常に日本人の素晴らしいところ」と述べた。

大谷の時と言ってることが全く違う。ワクチンを打ったからアメリカはマスクを外せた、と言ったかと思えば、ワクチン接種率が高くとも陽性者が増えたイギリスは「マスクをしていないから」と言う。我々は終始、専門家とテレビコメンテーターのその場しのぎの発言によって右往左往させられたのだ。

そして、10月に入り、厚労省は接触感染・飛沫感染に続きエアロゾル感染（≒空気感染）を認めた。ならばマスクもアクリル板も意味がないではないか。〉

基本的に、今回のコロナ騒動は「反政権」が目的だった面もあるため、とにかく日本の対応のマズさを、左派メディア中心に言う必要があったのだ。だから玉川氏のようにブレまくる発言が出る。他国がうまくいっている時は「彼らは素晴らしい！」とやり、他国がうまくいっていない時は華麗にスルー。２０２１年10月と11月、日本が劇的に改善し、11月15日の発表では東京の陽性者数は「７人」という状況に。この時一体どのような報道をしていたかといえば、「ドイツとオランダで陽性者が増えている。このままだと日本もそうなる」と煽るのである。玉川氏はワクチン接種が進んだアメリカはマスクを外せたが進んでいない日本は外せない、という論を述べた。だが、結果的に2回接種率で日本はアメリカを超えたし、ブースター接種率も約70％の日本に対し、アメリカは40％である。そして日本は4回目、5回目も推進している。ブースター接種の人口あたりの回数では、２０２２年12月現在、世界一である。このような状況は本来玉川氏は誇るべきで「もうマスクはいらない」と言うべきなのだが「マスクは大事」という持論を撤回できないため、過去の発言はなかったことにする。

自国について謙遜するのはいいのだが、貶めるだけになると行き過ぎである。そうした意味で、自らをネタ化していた１９９０年代、２０００年代の日本には余裕があった。今はとにかく自信を喪失し、悪いところを見つけ合い、日本人同士でケンカばかりしている最悪の状況である。

この状況と比べれば、よっぽど「自虐的に日本を笑う」と「日本すごい！　と言い続ける」時代の方がよっぽどマシだっただろう。さっさとこんな国は見切りをつけるべきである。もう中高年になっている人々は難しいが、せめて若い人、子供達は日本を脱出させてもいい。この国は最悪のバカ国である。

東京五輪の無観客開催にあたっては、同時期にインディ500（F－1）、UEFA EURO2020（サッカーの欧州選手権）、ウィンブルドン（テニス）など名だたるスポーツイベントが世界各地で有観客かつマスクなし、声出しOKで開催された。そして日本でもプロ野球、Jリーグ、大相撲、各種親善試合、五輪に向けた強化試合は行われた。まぁ、マスクを着用し、押黙った不気味な観客だらけだったが。

コロナの時代になってからはひたすら「海外すごい！」を言われ続けた。

そして、その論をベースにしたかは分からないが、岡田晴恵・白鷗大学教授も「今のニューヨークは2週間後の東京」を『羽鳥慎一モーニングショー』で発言し、国民を恐怖のどん底に陥れた。

こうして脅されたものだから、欧米様が取った「ロックダウン」をマネるべきだ、と臆病な国民が大騒ぎ。結局緊急事態宣言が出される結果となった。欧米に比べれば緩い制限だったため「欧米のようにもっと厳格な制限を！」の声が強くなる。そしてその後はワクチンが行き渡った欧米への憧れを持つ。陽性者が日本よりも圧倒的に多い欧米が大観客を入れてスポーツイベントを入れるのに日本は人数制限をし、マスク着用が求められた。そして五輪は無観客になった。ここでも欧米のマネをすれば良かったのに「彼らはワクチンが行き渡ったからコレができるのだ」と考える。

もう、自虐も甚だし過ぎる。そして、各国を超えるブースター接種率の高さとマスク装着率の高さの結果が２０２２年7月からの「10週間連続陽性者数世界一」という誇らしい記録である。この時、「感染対策は意味がないのでは……」という論にはならず、「ヨソはヨソ、ウチはウチ」となり、自己肯定をした。完全にずっこけた。なお政府分科会の尾身茂会長は『中央公論』のインタビューで、東京五輪に観客を入れても良かったと後に述懐している。あくまでも客を入れる空気感ではなかったのだという。

子供を残さないで良かった　自分の代での日本との決別

自分の人生で「こりゃ正しい判断だった」と思った最大のものの一つが「子供を作らなかった」ということである。コロナ以前まで日本は案外いい国だと思っていたが、完全にそれ以後はこう考えるようになった。

臆病者のゼロリスク主義者が跳梁跋扈《ちょうりょうばっこ》し、出る杭を打ち自分の頭で考えられず、周囲の目ばかり気にして「怒られない」ことこそ人生最大の重要事項と考える馬鹿だらけの国

予算の問題はあるのだろうが、２０２２年８月に行われる予定だった長良川全国花火大会は２０２１年10月に早々と中止を発表。岐阜新聞のウェブ版ではこう記述がある。

〈新型コロナウイルスの終息が見通せず、不特定多数の人が集まる中で、一定の距離を保つなど安全、安心を確保した運営は極めて困難と判断した。〉

あとは、２０２１年11月、２０２２年１月に開催される予定だった西宮市の西宮神社の「福男選び」も中止を発表。とにかく、事なかれ主義で他人の目ばかり気にする臆病な国だと今は完全に思っている。「マスクを外せる基準を教えてほしい」とか言う人間も大量にいる。そんなもんは、自分の頭で考えろ！　とにかくこんなくだらない国に子孫を残さないという判断をして正解だったと、コロナで心底思った。ここでは、子供を作らないという判断に至った件について書く。

私自身は元々子供を欲しいと思ったことはなかったし、妻もそのタイプだったので「まぁ、いらないか」という前提条件を互いに共有したうえで結婚をした。我々はこの点において考えがピタッと合った。

子供がいることにより、様々な思い出が生まれたり、喜びがあるということは、自分の親を見ても、友人を見ていてもよく分かる。ただ、私自身、どうしても面倒くささの方が勝ってしまうのだ。何しろ、根っからのぐうたらのため、極力ラクに生きたいと思ってしまう。子供がいることによる幸せと子供がいないことによるラクさを天秤にかけた時に子供がいない方がいい、という判断になったのである。

学校帰りのランドセルを背負った肥満体の少年を見ていると「かわいいね」と思うことはあるものの、子供を作り、育てることは私が47歳でやりたかった「セミリタイア」を遅らせる結果になると考えた。

自分にとっては子供を独立できる年齢まで育てるよりも、もう自分と妻の人生だけを考えたいと考え、子供はいらないと決定した。これを言うと子を持つ人々からは「子供がいると人生変わるよ〜!」「子供を持たないなんてもったいない。人生の一つの豊かさを失うよ〜」「あなたと彼女の子供だったら可愛いのに……」などと、そのメリットを説かれることが多い。

ただ、日本のこの異常過ぎる状況を見て、心底こんな国に自分の子孫を残さないで良かったとしか今は思えない。ここまで「異常」を受け入れ、「ニューノーマル」などと言って受け入れる人々が多い国ではもはや住みづらくて仕方がない。

自分は第二次ベビーブームの中でももっとも出生数が多い１９７３年生まれ。２０９万人もの競争相手がいたわけで、受験も熾烈だし、バブル崩壊後の就職氷河期だったため、就職も大変だった。

そんな経験をしてきただけに、「学生時代に戻りたい！」なんて声を聞くと「オレはイヤだよ……」と心底思う。一生学生でい続けられるのであればそれはいいかもしれないが、なんでもう一回就職活動をし、再びあのキツい社会人生活を23歳からもう一度やらなくてはいけないのだ……、と思ってしまうのだ。

とにかく、若手社会人の頃の月３００時間残業や、27歳でフリーランスになった時、正社員編集者からバカにされまくり、使い倒された経験はもうしたくない。自分の力を過信し、「できます！」と言ってパニックに陥り、色々な人の助けを借りてなんとか乗り切った経験ももうしたくない。自分がかかわるニュースサイトのＰＶが少なく、なんとかテコ入れをし、ＰＶが回復するまでのプレッシャーももう経験したくない。

こうしたものを経て、ようやく47歳でこの競争社会から「一抜け」できたのだが、本当に社会人になってから24年間は長かった。もっと言うと、より有利なポジションに行くべく新卒で博報堂という会社に入るまでの生徒・学生時代も長かった。

かくして自分の人生を振り返ってみると、我が子にこんなことをさせるワケにはいかないと思ってしまうのである。人生というものは苦難の連続だ。いっそのこと自殺してしまった方がラクだ、と考えることもある。だが、輪廻転生でまた日本で生まれてしまったらどうなるのか……と考えると、死ぬ気にもなれない。

小さな頃から「なぜ自分は自分なのか」ということを考え続けてきた。自分は「中川淳一郎」として生を受け、以後、自分の目で見て、耳で聴き、何かを触る生活を続けてきた。しかしなぜ、自分はベネズエラのファン・ロドリゲスではないのだ？　と思うし、もっと言うとなぜ東京湾のハゼの一匹でもないのか、とも思う。ある時、起きたらアメリカのジョン・スミスになっていることもあるかと思ったがそんなこともない。本当になぜ自分が自分なのかがまったく分からないままここまで来た。

果たして実はこの世はなく、虚構だったのでは、なんてことさえ思う。何らかのショーを「神の目」を通じて見ていただけなのでは、という荒唐無稽なことさえ思う。

とにかく、人間がなぜ生きるのかといえば「死ぬため」である。

そして人生は「最大の暇つぶし」である。

正直、自殺するにはまだ楽しいからしたくないし、自殺をする勇気もない。ただ、色々面倒くさいことはあるからさっさと死んでいたいとも思う。貧困生活は送りたくないから仕事は一応する。だが、その仕事というものが多くの人にとっては忖度とパワハラがついてまわるため、苦痛である。

土日のみが心休まる日である。ただ、家族がいるから月〜金の苦行には耐えなくてはいけない——。これが私が子供を持った時に抱く精神状態だと偏見ながら思ったのだ。息子の「ひろし」が太っていたとしよう。

彼は学校で「やーい、デブ」「このデブゴン！」などと毎日のように罵声を浴びせられる。親である私はひろしにすくすくと育ってもらいたいから毎日おいしいご飯を作ろうと頑張る。

「お父さん、このホイコーロー、おいしいね！　ご飯おかわりしていい？」

「いいよ。もっと食べなさい。キャベツとかピーマンとかもちゃんと食べるんだよ」

「うん。僕、豚肉も野菜も大好き！」

このように、ご飯をおかわりするひろしがおいしそうにホイコーローをほお張る姿を見て父親である私は目を細めるのである。

そんなひろしは学校では「デブ」であることを同級生からなじられ、挙げ句の果てには身体的な被害も受ける。ある日、学校から帰ってきたひろしがランドセルを置き、無言で自分の部屋に入っていく。そしてまったく外に出てこない。宿題でもやっているのかな、と安易に考えていたところで夕飯の時間に。この日は皆で大皿の豚肉生姜焼きを食べるのだ。

しかし、ひろしの食べる量が少ない。しかも、「お母さん、ご飯はお茶碗の半分ぐらいにして」と言っている。私の妻は「ひろし、どうしたの？　別におやつは食べてないよね？」と言うが「今日はいいの！」となぜかキレる。

そして、食べ始めるととにかくペースが遅いし、大皿の生姜焼きをあまり食べない。心配になって「ひろし、どうしたの？　今日はなんでそんなに食べないの？」と聞くとひろしは途端に茶碗と箸をテーブルに置き、うるうると泣き始める。

「お父さん、お母さん、今日ね、僕、『このデブ！』と言われて腕をつねられたの。だから痩せなくちゃいけないの！」

こう言ったと思えば、その後は大号泣。私と妻はひろしを抱き寄せ「いいんだよ、ひろし、あなたは私達にとって一番大事な存在なんだから。そんなつねるようなバカは放っておいていいよ。家に帰ればちゃんとこうして優しくするよ」と言うも、ひろしはこう言う。

「学校は1日6時間もいる場所。僕はまたつねられたくないの！」

これは完全にひろしが正論である。小学生にとって、学校というものはすべてを意味する。大人のように「イヤなら逃げればいい」なんてことは言えない。今日、イヤなことがあったら翌日もイヤなことがある。それが永遠に続くのだ。正直、地元の公立小中学校の9年間で得られる人間関係なんて、都会の人間にとってはどうでもいい。私は特に小中学校でイヤな思いをしたことはないが、この9年間を一生思い出したくない経験と思う人も世の中には多いことだろう。

そうなると、ひろしのこの大号泣には真摯に向き合わなくてはならない。正直、親がそのつねった同級生の家に怒鳴り込んでも問題は解決しない。相手の親がとんでもないDQN（ドキュン＝バカ）である可能性はあるわけだし、ますます「ヒロシは親に言いつけやがったwwwww」みたいな事態になってしまうかもしれない。

ここまで子供を育てることへの不安感があったのだが、これに対して「心配し過ぎでしょ？」と思う方も多いだろう。だが、私自身、自分の人生はなんとかなると思うのだが、他人（妻・子供・社員も含め）の苦しみをそこまで除去できるという自信がないのだ。

婚約者の自殺

その原点は2007年8月12日の婚約者の自殺に遡る。拙著『縁の切り方 絆と孤独を考える』（小学館新書）でも書いたことだが、鬱病だった彼女が自宅近くの大学キャンパス内で首を吊って自殺した。この時、私自身、鬱病が自殺の原因になるということを理解していなかった。その時一番大事な人だったわけだが、そんな大事な人の苦悩を一切理解していなかったのだ。

よく覚えているのが、会社に行けず家で寝続ける彼女に「太陽の光を浴びて少し運動した方がいいから散歩しようよ」と言ったら「イヤだ。無理！」と拒否する。それでも無理矢理連れ出したら「本当にイヤなんだって！」と泣き出した。さすがにそこまでいくと家に戻らざるを得なかったが、鬱病を患っている人のことは細心のケアをしなくてはいけないし、悪い言葉だが「監視」をしなくてはいつ自殺をしてしまうか分からない。

『自殺されちゃった僕』（吉永嘉明・飛鳥新社）では、著者の友人である漫画家のねこぢると、編集・ライター業界の先輩である青山正明が相次いで自殺をした後に、妻を自殺で失う。

吉永氏は妻から目を離さないようにしていたものの、同氏が安心して寝た後に彼女は自殺。同氏はこれを心から後悔する。こうした経験をしていると、考えるのは逆説的なのだが、コレだ。

大事な人の人数を極力減らす。

大事な人が多ければ多いほど、心配事は増えるし、悲しみも増えてしまう。子供というものはその最たるものであろう。その子がいじめられていたり、或いは病気になったり自殺した場合の悲しみというものはすさまじいものがあるはずだ。子供を作らないということは、金銭面でラクになるのに加え、精神面で心配が減る。

結局、今大事だと言える人間は妻だけだ。両親はもう77歳で、後期高齢者になった。恐らく人生に悔いはないだろうし、私自身も彼らが死んでも悲しくはならない。天寿をまっとうしたんだな、と割り切ることはできる。あとは姉とその息子2人が大事なのと友人がいるが、とはいっても息子・娘には敵わないだろう。

この考え方はかなり歪んでいるとは思うものの、とにかく人生において悲しみと悩みを少しでも減らしたいと考えた結果の「子供はいらない」という決断である。

第4章 日本のバカ空気と競争との決別

クソッタレの空気感

2020年、プロ野球の試合が無観客で開催されることが決定した後、テレビに登場する元野球選手やワイドショーのMCはこんな論調でひたすらこの状況を前向きに捉えていた。いや、視聴者に捉えさせようとしたのである。

「普段の試合では気付かない打球音を聞ける」

「選手同士の話のやり取りやベンチからの指示なども聞くことができる」

そしてこの論調は2021年3月29日に開始した朝の情報番組『めざまし8』(フジテレビ系)MCの谷原章介も東京五輪について同様の発言をした。

あのね、スポーツイベントというものは、アスリートの卓越したパフォーマンスと、それに盛り上がる観客が一体化してエンターテインメントとして完成するものなの！それはこの100年以上のスポーツ観戦の歴史で明白なのに、なんとか制限がされた中でも良い点を見つけようともがく様が見られた。そして、結局東京五輪は、スカスカの観客と無声援、そしてマスク姿の関係者、試合後は息があがっているのに選手にマスクを着用させてインタビュー。同じ時期に世界各国が満席にしてマスクナシで大声援をあげてイベントをしているのとの対比は恥としか言いようがなかった。しかし、関係者や専門家はこれと選手の行動制限をする「バブル方式」こそが東京五輪でコロナ被害が広がらなかった理由だと説明し、競技自体は素晴らしいものだった、と自己正当化した。

これはまさに「欲しがりません勝つまでは」の精神と同じであり、このメンタリティが日本に根付いている以上、もう「生きづらい国」と言っていいだろう。多くの国はマスクやロックダウン、そしてワクチンパスポートに反対するデモを行い、自由の獲得を訴えた。中国でも、2022年11月、ゼロコロナ政策に反対するデモが各地で展開された。だが、日本は政治家・メディア・専門家の言うことに唯々諾々と従い「仕方ないよね」「コロナが明けたら会おうね」「コロナが収束したらぜひ」のような言い方がまかり通った。2021年11月16日には「ワクチン・検査パッケージ」なる実質上のワクチンパスポートの骨子が発表された。なんと、分科会が政府の提言を「了承」したのだという。そして尾身茂会長がこのことを高々と宣言した。分科会の方が総理大臣よりエラいのだ。国民が選んだ政治家よりも、選んだ覚えもない「専門家」とやらの方が権力を握っているという歪な構造になり、「感染症の撲滅」という夢の実現のために国民に犠牲を強いる。いや、これを「犠牲」と捉えていない人間が圧倒的多数だ。だから都会ではマスク率99・7%といった状況が2021年後半になっても続いていたのだろう。2022年10月でも東京・銀座では99％はマスクを着用している。

この空気感が今後も永遠に日本には蔓延するだろう。

私自身、こんな空気感はクソったれ！　と思うからこの国にはもう絶望しか残らなくなったのだ。これがこの世の絶望の外的要素だが、もう一つはやはり自分自身の経験してきたことがキツい、という点にある。

中学最初の中間試験で競争社会スタート

前項からの続きになるが、元々自分が子供はいらない、と考えたのは、人生というものがあまりにも厳しいからである。小学校卒業ぐらいまでは親と友人に恵まれれば楽しいもの。貧困過ぎる家庭だったり、ＤＶ親に育てられたり、いじめをするクラスメイトがいるとキツいが、それ以外であればそこまでキツくはない。プールに行ったり虫捕りをしたりテレビを見てご飯を食べて寝ていればそれだけで人生が楽しかった。

だが、それが一変したのが、地元の公立小学校からそのままほぼ全員が通うことになる公立中学の一学期の中間テストだった。自分自身、たいして将来を考えていなかったし、友人も皆考えていないと思っていた。

だが、皆、色々と考えていたのだ。正直、自分は中間試験というものが一体なんだか分かっていなかったので、1年生の6月、特に対策をせずに臨んだのだが、成績は240人中37位。姉は塾へ行くなどし、勉強熱心だったので、毎度学年トップ8には入るような成績だった。それが私は37位である。家に帰ると親からは猛烈に怒られ、ようやく競争社会の開始を知ることとなった。そしてもっとショックだったのは、皆が「勉強なんてしてないよ～」と言うのを真に受け、自分もしなかったことだ。どこかで我々は皆仲間で、皆で平等にヒドい点を取り、ライバル心など芽生えないと思っていた。

だが、その後は上位の都立高校に行くために必要な内申点を上げるために競争の連続である。あの甘美な小学生時代は終わってしまった。なんと、人生12年で「競争のない状態」は終わってしまったのだ。なお、「お受験」をした子供はもう4歳ぐらいから本格的に競争に巻き込まれるだろう。よくもそんなことができるものだ。

そして、次に訪れた競争のショックは大学入学後に訪れた。当時の言い方としては、大学はレジャーランドで、4年間のモラトリアムである、とされていた。中高の6年間の競争と忍耐がようやくここで報われる。さぁ、思いっきり遊びましょう！　的空気があるものとされていた。

しかしバブルはすでに崩壊しており、就職氷河期に突入。語学のクラス分けがあり、クラスメイトと夕食を食べに行ったりすると、かなり将来について考えていることが分かった。多くが公認会計士・弁護士・地方公務員・国家公務員を目指しており、ダブルスクールを念頭に入れているのだという。ここでも中学1年生の時と同じような状況に追い込まれた。まったくモラトリアムじゃないじゃないか！　そして、こいつら、ちゃんと色々準備してるじゃないか！

この時にキツいのが、それまで自分と同じような呑気クラスターの仲間だと思っていた人間が実は呑気ではないことが分かったということである。会社に入ってからも、いわゆる「リア充」的な同期は内定式の後に他の同期と仲良くなっており、入社後の研修期間では自分は完全に蚊帳の外状態になっていた。

このように、自分以外の他人の多くはキチンと将来を見据えて動いていたのだが、私は毎度行き当たりばったり。となれば20代中盤に考えるのは「オレは将来を見据えて動くよりも、行き当たりばったりでその都度判断していこう」ということだ。

その際に重要なのが「何がイヤか、何から離れたいかを考える」ということだ。これがまさに現在の「セミリタイア」状態に繋がってくるので次の項で書いてみる。

「嫌いなもの・決別したいもの」から離れる人生をいかにして得るか

もう、努力はしたくないし、競争とも無縁でいたい——。2013年に抱き始めたこの考えが2020年8月のセミリタイアに繋がった。以後、不思議と誰かを羨むこともなければ、他人と比較することもなくなった。

恐らく東京の満員電車もイヤだったし、フェイスブックで自分がいかにイケてるかを披露し合う様も自分にとってはイヤだったのだ。あとはメールに「お世話になります」と書くのもイヤだった。

リモート会議がコロナ以降定着したが、こうした会議では「下っ端がまず先に入る」「下っ端はミュートにし、顔を出さず喋らない」といった不文律がある。恐らく何もしていないのだろう。その間参加している風にしており、実際はスマホゲームでもしていると私は思う。

嫌いなもの、決別したいものというのは、こうした「仕事」に加え人間関係もある。私は千葉商科大学准教授で、大学時代の同級生である常見陽平という人物と1994年から親友関係にあったが、2022年10月をもって縁を切った。フェイスブックとnoteに「中川淳一郎くんのTwitterアカウント凍結によせて」という文章を書いた。基本的な内容は、「中川がコロナで頭がおかしくなり、支持者のために過激な言論をツイッターで発しまくっているが、長年の友人として私に対して心配の声が寄せられている。また、彼に仕事を出す編集者は馴れ合いの連中だらけだ。もっと意見の異なる人々とバチバチの対談をしてほしい」というもの。

完全に余計なお世話である。これに対し「常見陽平くんのオレへの保護者ぶる態度に寄せて」というアンサーを私はフェイスブックに書き、彼との決別を宣言した。

書いたものは、28年間彼を見てきたからこそ書けるものであり、我ながら辛辣なものを書けたと思う。もう、いちいち49歳の男に対して助言なんていらないのである。互いの人生を送っているのだから過度な干渉はいらない。

だからこそいい年をした人間同士はある程度の距離を置くべきなのだ。それを私自身はセミリタイアと唐津への引っ越しで達成できた。

この国をぶっ壊した暗黒の2021年7月

この時、4回目の緊急事態宣言発動でもうこの国を見切った。西村康稔《やすとし》・経済再生担当大臣は酒類提供を続ける飲食店との取引停止と政府が販売事業者に要請する意向を発表。

緊急事態ごっこを加速させた。

山梨県は独自の厳しい感染対策を発表。「山梨モデル」と絶賛された。島根・丸山達也知事は、東京五輪の聖火リレーは島根に来るな、と要求した。東京・大阪以外の日本の道府県は他都道府県からの来訪者にいかに好きになってもらうかが存続においては極めて大事なのに、いずれもわざわざアンチを増やすようなことをしたのだ。

ツイッターユーザー「あーぁ」氏@sxzBSTは、こうツイートした。いずれもコロナを終わらせない気持ちが滲み出ているし、日本の問題先送り体質がよくわかるだろう。

〈尾身会長語録

1月↓これが分かれ道、非常に重要な時期
2月↓歓送迎会、卒業旅行、お花見等の恒例行事を控えることが鍵
3月↓宣言解除後が重要
4月↓6月までが正念場
5月↓ここ数ヵ月が正念場
6月↓ここ1～2ヶ月が非常に重要
7月↓4連休、夏季休暇、お盆、オリパラ、8月下旬までが正に山場〉

２０２１年11月17日の『スッキリ』（日本テレビ系）でＭＣの加藤浩次はこういった。

「海外で陽性者が増えていて、日本が多くない理由はマスクにある」。そして、Ｗ杯予選、オマーン戦で勝利。オーストラリアを抜き2位になった。その後はサウジアラビアと中国が相手のホームゲームが予定されていた。これについてはこう言った。

「観客席満員にして完全アウェーにしてマスクして応援しましょうよ！」

どこまでマスクを信じているのだか……。もう、テレビなんていらないわ。

ネットから逃げられる人が本当の勝ち組

幸いなことに47歳にして「ＦＩＲＥ」なる生き方は手に入れることができた。ここ数年流行り始めた言葉で、Financial Independence, Retire Early の略だが、簡単に言えば「カネが十分あるから早めに隠居する」といった意味である。

厳密にはまだこうして本を書くなど仕事は続けているが、編集者として通勤したり土日も休みなく働く人生はもう終わった。「セミリタイア」という言い方を自分はしてきたのだが、人々からは「ＦＩＲＥ」と呼ばれた。

東京を離れ、佐賀県唐津市に住んでいるが、不思議なもので、東京にいた時よりもネットに触れる時間は減っているのである。それは、仕事量が減った、というのが大きい。今やホワイトカラーの仕事とネットは切っても切れない関係性にあり、仕事量＝ネットと接する時間と言っても過言ではない。

『ウェブはバカと暇人のもの』で14年前にも書いたが、「ツール」としてのネット使いというのが一番賢いのである。この事実は変わらない。ネット上の意見やら世論はさすがに炎上した場合は無視するわけにはいかないが、一部不満の声があがったからといって徹底的に付き合ってあげる必要はない。ツールとは、「予約・申請システム」「販売システム」或いは「宣伝」を意味する。自社の売り上げ増加と合理化に寄与する部分においてのみネットを活用すべきである。そして、問い合わせ（クレーム）にいちいち対処する必要はない。文句を言いたい人だけがネットに書き込むだけで、満足した大多数の人々はいちいち書くことはない。書いたらひねくれ者から「ステマ乙」なんて書かれるだけである。

ネットから逃げられる人生というのが何をもたらすかといえば、２つ人生に与える大きな影響がある。

①炎上・裁判・メンタル悪化の回避

②有意義な時間の創出

まずは「①炎上・裁判・メンタル悪化の回避」から考えていく。「雉《きじ》も鳴かずば打たれまい」ということわざがある。若者が愚行を披露する「バカッター」がその代表例だが、企業も時々やらかしてしまう。タカラトミーは2020年10月、ツイッター上で「#個人情報を勝手に暴露します」いうハッシュタグが盛り上がっていたため、この流れに乗った。

「とある筋から入手した、某小学5年生の女の子の個人情報を暴露しちゃいますね…！」と同社のキャラクターであるリカちゃんのプロフィール情報を投稿。

さすがにこれは「小児性愛を告白するキモいオッサン」的な捉えられ方をされ、批判が殺到。本人は冗談のつもりだったのだろうが、さすがにリカちゃんはまずかった。せめてタカラトミーが扱っているディズニーのキャラクター（それもトイ・ストーリーの主人公・ウッディなど男性で大人という設定）を紹介すべきだった。それだったらジェンダーの観点でも、児童ポルノ的文脈でも捉えられず、冗談の一種として扱われたことだろう。結果的に同社はこのツイートを削除し、6連続ツイートでお詫び。

〈【お詫び】10月21日に発信したツイートで不適切な表現がありましたので削除致しました。表現について至らぬ点がございましたことを心より深くお詫び申し上げます。大変申

し訳ございませんでした。〉

〈社会の一員として守るべきモラルに欠ける内容で、多くの皆様に不快な思いをさせてしまい、企業アカウントの投稿として極めて不適切な投稿であったと深く反省しております。当社では今回の問題を、SNSアカウントの表現上の問題としてのみ捉えず、コンプライアンス遵守とモラル意識の（続く）〉

〈問題としてとらえ、タカラトミー公式Twitter（@takaratomytoys）の新規ツイートを当面停止するとともに、関連するツイートに関しましても順次削除対応してまいります。さらに社員教育の改めての徹底と、運用ポリシー（コンプライアンス遵守・運営管理体制等）を全面的に見直してまいります。（続く）〉

37万人（当時）のフォロワーを誇るIDで、これまでのツイート内容が支持されてきたことで、すっかり有名人気取りになってしまったのだろう。自分はジョークのセンスもあるし、ツイッターユーザーからも愛されていると思ったのだろう。

これは企業の公式IDが問題発言をする例だが、ツイッターの担当者が同じスマホ・PCで企業IDと個人IDを運用しているケースもある。企業IDからログアウトしないまま、プライベートな気持ちを書いてしまい炎上するのだ。ツイッター黎明期、某社の「中の人」が、Perfume のライブに行った時に「最高！」のようなことを書いた。いわゆる「誤爆」である。だが、これは微笑ましい、と評判になり、むしろ会社のIDのフォロワーが激増する良い効果があった。しかし、同じようなケースでとある女性アーティストを「ぶさいく」と書いてしまった企業IDは当然炎上した。慎重な企業であってもこうして炎上するケースはあるわけで、ましてや個人がSNSをするのは極めて危険である。何が誰かの怒りの導火線に着火させるのか分からないのだから。

よく分からないのに炎上するケースもある。２０２０年11月の東洋水産の「マルちゃん正麺」のツイッターに対する「炎上」がそうだ。

〈11月11日に投稿した「親子正麺」第1話に関しまして、様々なご意見を頂戴しております。今後の掲載につきまして現在精査しております。ご迷惑をお掛けし大変申し訳ありませんが、しばらくお待ちいただきますよう、よろしくお願い申し上げます。〉

なぜ、この件の冒頭で「炎上」とカギカッコ付きで書いたかといえば、厳密にこの件は私の感覚では炎上しているとは思えなかったからである。『親子正麺』という漫画のストーリーは、母親がいない時に小学生と思われる息子のためにマルちゃん正麺の「豚骨味」を父親が作ってくれ一緒に食べるというもの。夜になって母親が帰ってきて、何を食べたか息子に聞くと「しろいちゅるちゅるめんめんたべた」と言う。

これが「炎上」したとされたのである。批判の声はあったが「そこまで文句言うか？」という意見の方が圧倒的に多かったように感じられた。その批判の矛先は最後のコマにある。母親がキッチンシンクで食器を洗っており、その左で父親が食器を拭いている。これに対し、「母親はラーメンを食べていないのに食器を洗わせるとはひどい」という声が上がったのである。「家事は女がすべきもの」という価値観は否定されるべきだが、この程度の演出で文句を言うのは斜め上過ぎた。

最後のコマに登場人物３人を登場させたいという意図は分かる。だったらどうすれば批判の声は出なかったのか。父親が１人で食器を洗っておけば良かったのだろう（子供は身長的に食器を洗えない）。そして母親は食卓で寛いでおけば良かったと思われる。さらに、この漫画については娘もいればより「炎上」を回避できたことだろう。

東洋水産の釈明ツイートに対しては、こんなリプライが寄せられた。

「夫婦が仲良く片付けている所に、不審者が大勢やってきて文句を言われる被害。子育ても家事も大変ですよね、お父さんお母さん頑張ってる！」

「PRマンガにもの申しているのは所詮東洋水産の顧客ではないし掲載取りやめても買う

訳がないのでそのまま続けてください。応援しています。うま辛担々麺が好き。」

「普段家事が全然できない父親が、息子のために袋ラーメンを作ってくれた…体験したことある人ならわかる、たかが袋麺が思い出の味になるんです。」

「漫画を拝見しましたが、すごく良いお話だと感じましたよ！ 小さい子供がいる家庭ではごく普通の風景だと思います。一部のクレームには負けないで、是非続きを掲載して下さい」

「多様性の時代に全ての顧客を満足させることは不可能です　このツイートのリプを見る限り、好意的な解釈をしてくれる顧客が圧倒的多数のようなので、難癖クレーマーは切り捨てて商売してください。安心してください。売上は減りませんから。」

　基本的には、クレーマーこそおかしく、漫画はおかしくない、という意見が大多数だったが、声の大きい一般感覚とはズレた粗探しが趣味の人間により、釈明に追い込まれてしまう。

　結局東洋水産はこの件については問題はないと判断したのだろう。第2話は後に公開されたが、見事な炎上対策になっている。この作品では父親と息子はマスクを着けている。つまり、コロナ騒動の時期のストーリーということを意味する。息子が「パパ明日も家で仕事?」と聞くと「そうだね」「じゃあ明日もキャッチボールできる?」「昼休みならできるよ」と続く。息子は「ママは?」と疑念を呈すると「ママの仕事は家ではできないからね」「がんばってる」「そう」となり、家に帰って「マルちゃん正麺」のソース焼きそばを2人で食べ、「一緒の時間は一生の財産になる。」というコメントで締められる。

これに対しては東洋水産の対応を絶賛する声が多かった。どこをどう見ても炎上する要素がないのだ。まず、制作者は「マルちゃん正麺広告制作チーム」になっており、漫画家を守るための配慮ができている。ストーリーにしても、「在宅ワークで子供の面倒を見る父親」と「医療従事者であろう母親」を連想させる。「仕事で忙しい妻の負担を軽くするべく、息子に昼休みは遊びの相手をしてやり、食事まで作る円満な家庭」といったストーリーなのだ。

こうして炎上は時々するものの、やはり企業は宣伝してナンボのため、ノーリスクハイリターンは無理。或る程度のリターンを期待してネットでの発信を慎重にしているのだ。だが、宣伝する材料のない勤め人や学生を含めた大多数はハイリスクローリターンでしかない。特に「身バレ」が恐ろしい。何しろ匿名だからと自由に発言していたのに、途端にひょんなことから身元がバレることがある。それこそ、ツイッターに公開した何気ない写真に自宅が特定されるような建物やランドマークが映っていることや、勤務先がバレるといった形だ。

ネットでの「匿名」の弱さ

そうしたことから、私は実は「実名・所属先オープン」の方がネットでは強いのではないかと考えている。「匿名」の最大の弱点は「身バレ」なのだから、そのユーザーにダメージを与えるために、アンチは身元を明かそうと執念を燃やす。最初から身バレをやっておけば、少なくとも身バレはしない。変な言い方だが、実名・所属先明言が身バレの恐怖を抑えることに繋がるのである。匿名でなければ、開示請求はない。何しろ実名の人物はすでに身バレしているのだから。

知り合いが相次いでネット上での発言が理由で訴えられた。裁判費用のカンパもしただが、訴えられた理由は気の毒でもあり、迂闊でもあるし、間抜けでもある。或いは相手が異常なだけだ。

こうした騒動を見るにつけ、思うのは「余計なことを発信しなければ……」の一言に尽きる。ツイッターが主だが、最近、ネット上の発言が名誉毀損だとされ、訴えられる例が多い。その具体的言葉を挙げると以下のようなものになる。

「○○はブス」

「○○はアナルセックスが趣味」

「○○はストーカー」

「○○は慰安婦みたいなもの」

いずれもホメられた発言ではないが、発信した人間からすれば「えっ？　これで訴えるか？」と思う言葉もあるだろう。だが、言われた側は本当に傷ついたかもしれないし、昔からのトラウマだったり隠しておきたい事実だったりもする。或いは完全に事実と異なるデマかもしれない。それは裁判を起こした側の言い分も分かる。

さらに、世の中には裁判をしたくて仕方がない人というのもいる。名誉を傷つけられた被害者となり、謝罪と賠償金を勝ち取ることこそ己の正しさを示すとともに、相手を奈落の底に落とすことが可能となることが至上の喜び、という人だ。

こうした人物にはかかわらないに越したことはないのだが、ネットという装置を使えば安易にかかわれてしまう現状がある。ネット発の裁判というものは、まったく面識のない者同士が「あいつは気に食わんことを言うやつだ」といったところから論争というか、ウンコの投げ合いが開始し、「これは名誉毀損来たー！」「スクショバッチリGET！」を経て、「先ほど訴状を送りました」の開陳に加え、裁判日程の報告などありとあらゆるやり方で被告を追い込める。

支持者からは熱烈な応援をされるとともに、アンチは黙り込むしかなくなる。「裁判」という言葉の前には、それまでのウヒヒヒヒ、キャッキャ的楽しい雰囲気は消え、ツイート数は激減し、ツイートしたとしても口調が丁寧になっている。訴えられたとしても勝てる保証はなく、「あなたは大丈夫だよ」と慰められることで心の安寧を図ろうとする。

そして「あぁ、あの迂闊なツイートをしなければ良かった」「あぁ、あの時酔っ払ってツイートしなければ良かった」となるのである。

本書でも具体例は後に挙げるが、ネットでの発言が基で訴えられた側が大抵言う言葉がある。

「軽い気持ちで書いた」

「ネットの書き込みを信じてしまった」

この2つのどちらかなのだ。前者については、「ブス」「バカ」などの罵詈雑言で、後者については「〇〇事件の犯人の母親」などと写真付きで断定され、それがデマであることを検証せず、拡散してしまった場合に使われる。

2019年夏、常磐自動車道で「あおり運転」をした男と一緒に同乗していた「ガラケー女」の〝正体〟が明らかになった！　と高らかにネットで宣言されたが、この〝正体〟とされた女性はまったく無関係。しかし、ネットのあやふやな情報を義憤のあまり「拡散希望」してしまった愛知県豊田市の市議がその女性から名誉毀損で訴えられた。賠償請求額は100万円である。同氏は市議の職を辞する結果となった。

この件については、あくまでも「あおり男」が女性のインスタグラムをフォローしていたことと、「ガラケー女」が着用する帽子とサングラスが女性が公開したものと少し似ているだけ、ということから「正体」であるとされてしまった。

まったくもってして根拠レスな話だが、このデマを拡散した多くの匿名の人間は現状では訴えられず、拡散した元市議は訴えられた。開示請求をするまでもないからだ。身元がしっかりしている人間ほどネットでは余計な罵詈雑言の名誉毀損発言はすべきでないし、情報を拡散する際は慎重であるべきなのである。

訴えた側の女性にしても、デマの元ネタを拡散した大本を突き止めるのに血眼になるよりは、その後拡散させた実名で身元がしっかりしており、さらに社会的地位もある人物を訴える方が合理的だろう。市議であればカネがないことはなさそうだし、社会的制裁も下すことができる。

一方、弁護士費用とプロバイダやSNS運営者への延々と終わらない開示請求手続きを経てようやく突き止めた人物が無職で貯金も一切持たぬ社会的立場が一切ない「無敵の人」だった場合、特定にかけた時間とカネは水泡に帰す。結局「やられ損」だ。

また、匿名でネットをやっていたとしても、「身バレ」というものは必ずあるもの。本名でSNSをやっている人であったとしても、呪詛の言葉や周囲の人や世の中の不満・悪口を書く場合は「裏垢」（裏アカウント＝裏ID）を作り、罵詈雑言を連発する。ひょんなことからそのダークな発言を本人と結び付けられてしまった場合、その人は一生忘れられないであろう悪評を獲得するに至る。ネットでは「忘れられる権利」はまだないのである。

バレるパターンは案外単純で、AというIDがアップした写真と同じ写真をBというIDがアップした、というのが王道だろう。また、文章の癖でバレることもあれば、単純に裏垢だと思っていたにもかかわらずログアウトを忘れており、本垢（本アカウント）で書き込んでしまい、裏垢での悪事や罵倒芸がバレてしまうというのもある。

お笑い芸人のサンシャイン池崎のツイッター「裏垢」がバレた、という見出しを目にした時、どれだけ悪辣なのかと思い見てみたら、なんのことはない。飼っている猫を猫かわいがりするほのぼのとした池崎の日常が描かれており、これには池崎の好感度が上がらざるを得なかった。

こうした身バレだったらいいものの、大抵の場合、身バレは身の破滅に繋がる。東京都世田谷区の年金事務所所長は、ツイッターで外国人に対して差別的な発言を繰り返していたが、とあるツイートに貼られていたインスタグラムのIDが同氏の実名のものだった。そう指摘された同氏は謝罪に追い込まれ、同事務所からは更迭され、人事部付となることに加え、停職2カ月となった。朝日新聞の電子版はこう報じている。以下、実名部分「○○」に変更。

〈○○氏は昨年秋ごろから差別的な投稿を始めた。勤務時間中にも自身のスマートフォンから投稿していた。○○氏は「ツイートへの好意的な反応で承認欲求が満たされ、内容がエスカレートした」と話しているという〉

要するに、差別的なツイートをすることによってフォロワーが増えたり、「いいね」や

「RT（リツイート＝引用）」が増えることにより気分がよくなり、より過激なことを書くようになってしまったということだろう。

あなたの常識を超えたとんでもないヤツ

ここ最近、民事裁判件数が増え続けている。弁護士事務所がしきりと「過払い金は取り戻せる」とテレビCMを打つなどして、新たなる収益の柱を作ったことも影響しているが、ネット上の諍いがきっかけで裁判になったケースも多いのでは。

2018年6月24日に「ブロガー刺傷事件」では、人気ブロガーだったHagex氏が42歳の男に刺殺された。男はウェブサービス「はてな」の「荒らし」として知られており「低能先生」のあだ名をつけられていた。Hagex氏は、この男に荒らされた場合は運営に通報をすればいいとブログで執筆。

これを逆恨みされ、Hagex氏は男の地元・福岡で講演をした際に会場に潜入した男にトイレで刺殺されたのだ。男としては、自分の大切な「居場所」であった「はてな」で皆から「低能先生」と罵られたうえに、そこから追放されることが耐えられなかったのかもしれない。

Ｈａｇｅｘ氏と私は何度も飲んでいるし、一緒にイベントに出演している。同氏を「送る会」の幹事団にもなった。そうした関係があっただけに刺殺した男が１００％悪いものの、その男が尋常ではない精神状態だったことも加味してブログを書いていたらなぁ……とも思う。

いや、それは分かるものではない。あくまでもＨａｇｅｘ氏は「荒らし」への対処法を伝えただけで彼に落ち度はない。ここで言いたいのは「ネットにはどんなヤツがいるか分からない。そしてそうした連中はあなたの常識を超えたとんでもないヤツであることもある」ということなのだ。この前提こそ、ネットを使う皆さんには覚えておいてほしい。

スマホで加速するネットへの中毒

そして、「②有意義な時間の創出」についてだが、インターネットには中毒性がある。それはスマホの登場により、より加速した。ベストセラー『スマホ脳』（アンデシュ・ハンセン著　久山葉子訳　新潮新書）について以下、書評を書いてみる。

スウェーデンのベストセラー作家で精神科医によるスマホの危険性を説いた本だ。人類はこれまでの99・9%の時間を狩猟と採集に費やしてきたという。その長い時間をかけて少しずつ進化していったのだが、スマホが誕生してから十数年、いかにこのツールが人々を変えたのかについて警鐘を鳴らす。

完全に現在の世界中の人々は「スマホ中毒」のような状態になっているだろう。第3章のタイトルは「スマホは私たちの最新のドラッグである」となっているが、確かにドラッグ的である。

〈私たちは1日に2600回スマホを触り、平均して10分に一度スマホを手に取っている。起きている間ずっと（中略）スマホがないと、その人の世界は崩壊する。私たちの4割は、一日中スマホがないよりは声が出なくなる方がましだと思っている〉

「スウェーデン人とインターネット」という調査の結果にはこうある。

〈ティーンエイジャーは1日に3～4時間をスマホに費やしている。睡眠、食事、学校や保育園への移動を除けば、残る時間は10～12時間。この時間の3分の1以上、子どもたちはスクリーンを見つめているのだ〉

日本でも電車に乗れば、7人掛けの席全員がスマホを見ていることなどよくある風景だし、カフェにいる友人同士と思われる2人が無言でスマホを見ている光景も普通になった。

本書の重要な点は、医師である著者が現在の「スマホ脳」をヤバい状態だと認識していることである。本書の最後には「デジタル時代のアドバイス」として「自分のスマホ利用時間を知ろう」「毎日1～2時間、スマホをオフに」「あなたがスマホを取り出せば、周りにも伝染する」などと意見している。

各章の1ページ目には、「スマホ脳」にかかわる警句が紹介されているが、中にはアップル創業者・スティーブ・ジョブズ氏の「うちでは、子供たちがデジタル機器を使う時間を制限している。」という言葉もある。

さて、私は「ネットニュース編集者」を名乗りつつもスマホは持っていない。パソコンで仕事はするが、それ以外の時に誰かとつながっていたくもないし、常に追いかけられている状況がイヤなのだ。

さらに、ニュースにしても結局ランキングの高い記事を読む結果になるわけで、皆が同じ情報を知ることとなる。新聞ではたとえば「静岡の山奥でアワビを養殖　地域の活性化になる」といった意外過ぎる情報を知ることができる。「知の差別化」はネットではしづらいのだ。何しろ検索は誰に対しても平等なのだから。

そして厄介なのがゲームである。「ガチャ」などの課金で大金をつぎ込む他、とにかく時間泥棒になってしまう。「ポケモンGO」にハマっている友人もいるが、彼らは旅先でも常にスマホから目を離すことができない。これは仕方がない。何しろハマるように設計されているのだから。ネットは完全にプラットフォーマーや各サイトに我々の人生を預けている結果になるのである。そんなものからは距離を少しは置いた方がいい。

結局、ネットに触れる時間というのは、仕事を除いてはほとんどが「時間泥棒」的なものなのだ。さらに、AIが「あなたにおすすめ」などとニュースをレコメンドしてくるが、これは、自分が好きな傾向のあるニュースを大量に読みまくる結果となる。ツイッターでフォローしている人も自分と似たような考え方を持った人であるわけで、偏った意見を見続ける結果になってしまう。もちろん、特に人生に目的もなく、無駄にする時間がたくさんある人にとってネットは最高の存在である。（書評終わり）

スマホよさらば、ガラケーで不自由なし

２００８年以降、日本でもスマホが普及し始め、今ではスマホ所有が当たり前になっている。２０２１年４月にＮＴＴドコモモバイル社会研究所が発表した調査では、国内のス

マホ比率は92・8%だという。2023年はさらに上昇して100%近くになっているだろう。

2020年の同社の調査では私が属する40代では93・5%がスマホを所有している。もはや超マイノリティになった私のようなガラケーユーザーだが、初対面の人にガラケーを見られると「ネットニュース編集者なのにガラケーなのですか？　困らないですか？」と驚かれる。

だが、正直何も困らないのだ。今はセミリタイアの身だが、現役だった時もまったく困らなかった。ツールに合わせて世の中もどんどん変わっていく。「○○ペイ」はスマホ決済だし、取引先に行く時は予め送られてきたQRコードが入館証代わりとなる。

こうした時にスマホがないのは若干不自由ではあるものの、自宅でQRコードを印刷するか、ガラケーの写真撮影機能で撮影すればなんとかなる。

それよりもスマホがないことにより、様々なメリットがもたらされていることに気付くのである。堀江貴文氏はスマホがあれば何でもできる、といった発言をし、ファンから共感されているが、あれは同氏だからできるのである。凡人にはそれができない。ここでは凡人ならではのスマホを持たない利点について。

①どうせ自分以外の全員はスマホを持っているので頼ることができる
②仕事のメールやメッセンジャーについては「即時対応」が求められるが、スマホを持っていないために「見られないので対応できません」という返事が可能になる
③落としてもガラケーは壊れない
④無駄なＬＩＮＥのコミュニティに入る必要がなく、「既読スルー」みたいな経験をしないで済む
⑤メッセンジャー等の「即レス」も物理的に無理
⑥「あの人は返事が遅い」という立場でいられ続けられる
⑦どちらにせよ「他の皆が知っていること」は彼らが話題にするから知ることができる。その陰で自分は「彼らが知らないこと」を知ることができる
⑧無駄なものに使う時間がスマホユーザーよりも短い
⑨スマホがないため、ドタキャン、待ち合わせの安易な変更がされない
⑩「ＳＮＳ断ち」が勝手にできるため、苛々しないで済む
⑪「写真撮って」と言われないで済む

⑫ガラケーは1週間ほど電池がもつため、いちいち「電源のある場所」に縛られないで済む

⑬旅行の時、旅行に集中できる

⑭失くしてしまった時のダメージ（精神的なもの・クラウド以外のデータ・端末費用）が小さい

⑮つい見たくなる衝動がなく、目の前のもの・人に集中できる

要するに「人間関係の煩わしさから解放される」というのがスマホを持たない大きな利点なのである。もちろん、道に迷ってしまった時など、家人に電話をしてナビゲートしてもらうことはあるが、初めての場所に行くことなどそうそうない。とりあえず、「スマホ欲しくてたまらねぇ～！」と思ったことは、２００８年以降一度もないのである。一方、「スマホの奴隷になっていてこいつら無様～！」と思うことは時々ある。

現在使っているガラケーは２０１３年の型であり、まったく不調がない。２０００年代に使ったガラケーはリチウムイオン電池が膨張するなどあったが、２０１３年型であれば、その程度の不具合は改善できている。

今後、ますます人間の生活とスマホは密接にかかわってくるだろう。しかし、スマホに頼っていると人間が本来持つ「野生の勘」「自分だけの正しい感覚」をネットのAIに委ねたり、SNSのエコーチェンバー（同様の意見ばかりが展開されること）に従うことになってしまう。

以前、『五体不満足』（現在『五体不満足 完全版』、講談社文庫）のベストセラーで知られる作家の乙武洋匡《おとたけひろただ》氏と話していた時に興味深い話を聞いた。同氏は過去に不倫報道をされ、その後世間から大バッシングを浴びたことは記憶に新しいだろう。同氏は一旦日本から離れ世界各地を旅行する生活に入った。そして基本的に前向きな人物であるため、約1年後に帰国した際に会った時はもうこの件については吹っ切れていた。自分自身が悪いことは認めつつ、この騒動で気付いたことをこう言った。

「本当に自分にとって大事な人間が誰だか分かった。それまで何らかの利があるから寄って来た人と、真に大事な人を明確に分けることができた」

これは実際に会ってくれた人を指すのだろう。同氏のように、すべての体験を有意義なものであったと捉えようとする人はこのような考えができる。結果的に乙武氏は、一旦人間関係の棚卸しができたほか、その後の人生における大事な人とそうでない人を見極める眼力ができたことだろう。

そして、同氏の友人がネットで炎上してしまい「炎上のプロ」である同氏にその対処法を聞いた時の話も面白かった。

「僕が彼に言ったのは、『スマホの電源を切って家に置いておき、海に行ってボケーッとしろ。そうすれば炎上していることなんて一切分からない』だけです。実に簡単なことです。スマホさえなければ炎上していない、ってことになるんですよ！」

この通りである。ネットに接続していなければ、自分がどこかで批判の中心にいることなど分からないし、罵詈雑言を寄せられ続けていることさえ分からない。家に帰ってスマホの電源を再びつけたとしても、リプライ欄を見ず、エゴサーチもしなければ炎上など「なかったことに」できるのである。

乙武氏のこの対策は一番理に適っている。そうしたことも考えると、よりネットにアクセスしづらい環境を作ることこそ苦痛を回避するということになるのだろう。

第5章

人が1人いることにより人生が変わるということ

様々な出会いとある出会い

ここまで決別することについて書いてきたが、決別に至るまでには「出会い」が存在する。私自身、「出会い」こそが人生をかなり良くしてくれていることは分かる。というか、人生は出会いがない限り、開くことはできない。そこはよく分かっている。ロクでもない人間に会ってしまった時に人生を悪化させないため、そいつと決別をする、という考え方を持っているだけだ。

多分、一番大きいのは、両親だろう。最近「親ガチャ」という言葉があるが、生まれてくる子供に親は選べない。昨今、東大に入れる学生は親の年収が高い、という説が定番となっている（時に「それは関係なくオレは東大に入れた！」と主張する人も出てくるが）。ただ、親の教育方針として「大学に行くと年収が高くなる傾向がある。だから私は我が子を大学に通わせる」というものがあったとする。

すると、この子は、そこを目指す人生に入る。或いは、「今や学歴など不要だから我が子には高校終了後はプログラミングやパティシエの専門学校に入れ、『手に職』をつけさせる」や「我が子には好き放題に生きて欲しいから何も言わない」という考え方もある。

この段階でどんな親に会うかが重要なのだ。さらには、親から愛情をもって育てられたか、DVを受けたか、など様々だろう。しかし、「親ガチャ」についてはいかんともしがたいので、ある程度出会える相手を選べる高校卒業以降の出会いについて振り返ってみる。

まず、大学に入ってからだが、「同じクラス」「同じサークル」「同じゼミ」など様々な組織の中で接点がある人々と出会う。さらに学年も所属組織が違ってもなぜか会う人がいる。私の場合は、人材関連の専門家で千葉商科大学准教授の常見陽平氏と一橋大学2年生（1994年）の秋に出会ったことが大きい（前述の通り、彼とは縁を切ったが、貴重な縁をくれたことには感謝している）。

当時、大学は特に面白くもなかった。地方公立の進学校と都会の名門私立出身の学生が行く大学で保守的である。卒業後は商社・銀行・メーカーなどの民間に加え、地元の電力会社とガス会社と役所、そして公認会計士・弁護士・国家公務員という難関資格試験を受けて一応は「エリート」扱いされて無難に苦労の少ない人生を送ることはできるだろうな、と思った。ないしは、外資系金融やコンサルに入ってドッカーンと稼ぐという道もあった。

そんな中、奇妙な同級生がいた。それが常見氏だったのだ。1学年に1人しか入らないようなサークル「プロレス研究会」のメンバーで、学園祭ではバカげた、ただ時に感動的なプロレスをしていた。学生プロレスというものは、お笑い的要素もあるもので、リングネームが下品だったりして、全国各地の大学の学園祭では人気の興行であることが多いものの「まっ、下品な……」と眉をひそめられることも多いような存在である。

　そんなものだから入部希望者は毎年少なく、リクルーティング活動は非常に重要だった。当時2年生だった常見氏は率先してその役を引き受け、「プロ研スポーツ」なる謎の会報誌を時々学内で配っていた。

　内容はインチキだらけで、大江健三郎氏がノーベル賞を受賞した時は「今年のプロ研スポーツ文学賞は大江健三郎氏に決定！」などと1面にデカデカと記す会報誌を学内で配るのだ。初期の頃はいきなり授業開始前に教室に乱入して「お前ら読め！」と強引に押し付けていたのだが、途中からその内容の面白さから人気となり、学内の各所に置いていたら勝手に持って行かれるようになった。その発行部数は500部ほどだったという。当時、大学院生と合わせて国立《くにたち》キャンパス内に学生が1500人程度しかいなかったにもかかわらず、1・2年生が行く小平キャンパス（当時）の1000人と合わせて500部はけていたのはなかなかのものだ。そして、職員にも「プロ研スポーツ」の愛読者はいた。そうしたことから、費用のかかる紙を職員が横流ししてくれたり、無料印刷機の「リソグラフ」を使わせてくれたりした。

常見氏と会って以来、大学生活は楽しくなっていった。何しろ他の学生は真面目で、ミスをしないことこそ大事、と考えているようなタイプが多かったのだ。もちろん、これが不快というわけではないのだが、何しろ、若い内はもっとバカなことをやってもいいのでは、と思っていたのである。1年生と2年生の時はバカをやっている者もいたが、2年生の冬学期になると将来を見据え、公認会計士や弁護士や公務員の専門学校へ行き、将来に備える者が増えてきた。

そんな状態ながら、学生プロレスという「キングオブバカ」のような世界に入り、下品な会報誌を頻繁に発行するうちに、メディアや広告への関心が湧いてきた。結果的にテレビ、広告、ビール会社、コンサルの4業種を受け、17社のうち唯一内定を獲得できた博報堂へ行くこととなった。常見氏と会っていなかったらこの選択はしていなかったはずだ。

そして、常見氏と会う前の1994年3月、「新入生歓迎委員会」に入ったが、ここで出会った一派と仲の良かったジャーナリストの治部《じぶ》れんげさんとの出会いも非常に重要だった。2001年、わずか4年で会社を辞め無職になった時に当時日経BP社員だった彼女から「『日経エンタテインメント!』という雑誌がCMに詳しいライターを探しているけど中川君やらない?」と声をかけてくれ、これで無事に無職生活を脱却できた。

以後、ライターとしての仕事は増え続け、編集業にも幅が広がった。結局、常見・治部両氏との出会いがあったからこそ、今のこの書籍執筆にも繋がっているのである。その間にも、博報堂時代の先輩や後輩から仕事をたくさんもらったり、博報堂時代、打ち合わせで一緒だった先輩がサイバーエージェントの社員になっており同氏からも本当にたくさんの仕事をもらった。

結局サイバーエージェントとの付き合いは20年になり、自分にとってもっとも重要なクライアントとなった。同社が２００６年に「アメーバニュース」を立ち上げる際、私に編集を任せたため、私は「ネットニュース編集者」を名乗ることができた。当時、フリーのネットニュース編集者など私以外あまりいなかったため、ネットをめぐる騒動などが起きたら私が署名記事を書くなどできた。こうしたことが２００９年の『ウェブはバカと暇人のもの』の発売に繋がり、以後、コンスタントに書籍を出し、さらには小学館のＮＥＷＳポストセブン立ち上げからの10年間の編集業務（現在はライターのみ）に繋がったのだ。そして、小学館との最初の接点はプロレス研究会の後輩「のりピーマン」選手が同社内での勉強会講師のオファーをしてくれたことにある。やはり起点は常見氏だったのだ。

NEWSポストセブンの成功

恐らくNEWSポストセブンの成功を見て、各出版社はネットニュースに注力するようになったと思う。その意味では出版業界の中での私の地位も上がり、『週刊新潮』『週刊ポスト』『SPA!』『女性セブン』といった主要週刊誌での連載も獲得できるようになる。

2020年8月をもって「セミリタイア」をしたが、その最大の理由は1994年に常見氏と会ったこと、と言うことができる。もしもあの時彼に会っていなかったら私はまだどこかのメーカーで経理をやっていたかもしれない。住宅ローンをあと20年抱え、子供を私立の大学に行かせるために必死に働き、コツコツと貯金をしていたかもしれない。日々飲み歩くような生活はできていなかったかもしれない。

それはそれで満足の行く人生になっていたかもしれないが、少なくとも私は今の自分の人生については100%満足できている。常見氏以後の様々な重要な出会いには心から感謝している。ちなみに本書の編集者は、20年前、私がライターになりたての時、朝日新聞のタブロイド紙で下請けのライターをやっていた時の編集デスク（フリーランス）のK氏である。同氏とも今でもこうして縁があるのが非常にありがたい。

そして今、佐賀県唐津市に住んでからも、この地で出会う人々が様々な縁を作ってくれ、次々と人々との関係が広まっている。これもいずれより良き人生をもたらすきっかけになるだろう。「決別」とは真逆の「出会い」の重要性も私はよくわかっている。

ただ、残念ながら常見氏とはコロナをめぐる感覚の違いから決別してしまった。それはそれで仕方がない。コロナの真の恐ろしさは、肺炎ではない。マスク・ワクチンをめぐって分断を発生させ、コロナ観の違いから呆気なく人間関係を崩壊させる点にあるのだ。

「○○とつるんでいるから絶交だ!」小学生的価値観がまかり通るインターネット

小学生時代、「お前は山田と喋っていたから仲間はずれだー!」やら、「麻里子ちゃんは、博美と喋ったから絶交よ」みたいな言葉を聞いたことがあるだろう。ネットでもこうしたことが存在するのである。主に政治的イデオロギーをめぐる騒動が多いのだが、私の2011年来の友人でジャーナリストの津田大介氏に関する件だ。

基本的に津田氏は「リベラル」とされ、そちら側の人からの支持を受け、その正反対のポジションである「ネトウヨ」から批判されている。

私自身は自分は中道左派に位置すると思っているが、極左からみれば「ネトウヨ」ということになる。ここの政治的スタンスについて、本題に入る前に、ネットにおける状況を分析してみる。この「政治的スタンス」というものは、SNS時代に入ってから決別・仲間化、といったところで大いに影響を与えるため、触れておく必要はある。

まず、いわゆる「リベラル」と自称する人間は池上彰氏が言うように「左翼と言われたくない人の自称」ということだ。どう考えても自由を標榜するというよりは、他者批判と全体主義に行き過ぎる面があるのだ。そして、自主性がなく、親分・権威からの犬笛・進軍ラッパを待ってから同じ行動をする。なお、津田氏は是々非々の言動を取っていると私は感じている。意見を撤回することも辞さないし、対話の道を閉ざすまではかなり辛抱強い。

自称リベラルの狭量さがよく表れたのが、2016年の東京都知事選だ。自民党と公明党が元総務大臣で前岩手県知事の増田寛也氏の支持を表明し、「野党共闘」を謳う民進党（当時）や日本共産党、そして社民党は、ジャーナリストの鳥越俊太郎氏支持を表明。そこに風を読むのに長けた小池百合子氏が突如として割り込んできたが、2014年の都知事選にも出馬したリベラルの宇都宮健児氏も出馬を表明。「日本のバーニー・サンダース」と絶賛された人物だが、この時はリベラル陣営から批判をされたのだ。

その根拠は「野党統一候補を邪魔するな」「野党共闘に協力しろ」というところにあり、

鳥越氏に一本化することで勝てるとリベラル陣営がネットで大騒ぎしたのである。その後がすさまじかった。なんと、宇都宮事務所に出馬をしないよう要求するFAX攻撃がなされたのである。そしてツイッターでは「なにが〝日本のバーニー・サンダース〟だ！」などと批判され、結局、宇都宮氏は野党共闘のため出馬を断念。

結局鳥越氏は小池氏はおろか、増田氏よりも得票数は少ない惨敗だったが、この時に私は自称リベラルの排他性と全体主義を見た気がした。そしてこうも思った。

――こいつらとは距離を置くべきだ。すぐに内ゲバを起こし、粛清される。

そして、話は津田氏と私の関係に戻るが。津田氏は同氏が運営する「ポリタスTV」に私を出演させてくれた。2021年3月のことだ。テーマは「仕事に一区切りをつけ、佐賀に移住した生活」というものだ。これに対し、「南青山（沈黙はファシズムの承認　棄権は悪への加担　声をあげ、投票所へ行こう）」というツイッターIDがこう書いた。

〈津田大介「ポリタスTV」、面白そうなコンテンツが並んでいたのでメンバーシップ登録していろいろ見ていたら、コロナはただの風邪派・PCR検査スンナ派のデマ情報を絶賛垂れ流し中の中川淳一郎がゲストで登場してきてびっくり。もちろんさっそく解約（笑）。〉

これに対し、運営者である津田氏は丁寧にこう返した。

〈ご登録いただきありがとうございました。僕はＰＣＲ検査は拡大した方がいいと思っていて、そこは中川くんとは意見違いますが、その話をしたわけではないので……。今後も面白い回をいろいろ作っていきたいと思ってます。また機会ありましたらぜひ再登録いただければうれしいです！〉

そして南青山氏はこう続けた。

〈お返事ありがとうございます。登録解除したのは中川淳一郎の件以外にポリタスＴＶのインターフェースが非常に使いにくいこともありました。ＹｏｕＴｕｂｅからメンバー登録したのですが、コンテンツの全体像が見えにくく、短縮版とフルサイズの関係もよくわからない。短縮版しかないコンテンツもあるのですか？〉

〈中川淳一郎については好き嫌いでなく、ＰＣＲ検査拡張を悪質デマで妨害し、医療にも経済にも国民生活にも甚大な被害を与える宮沢孝幸、木村もりよ、峰宗太郎などと同類と考えています。そうした連中が登場するコンテンツにお金を出す気分にはなれませんね。インターフェースの問題は老婆心からです（笑）〉

どうも、この南青山氏は「ＰＣＲ検査を徹底すればコロナは終わる」と考えている『羽鳥慎一モーニングショー』コメンテーターの玉川徹氏や岡田晴恵氏のような「PCR原理主義者」のようである。コロナについては、検査を徹底して陽性者を隔離してもどうしようもないものだ。感染はしやすいものの、重症化は滅多にしない。ここではコロナについて議論したいわけではないのだが、とにかく南青山氏は津田氏に対して「オレの嫌いな中川淳一郎を起用するんだったら津田さんの提供するサービスに登録はしねーからな」という、完全に「お前は山田と喋っていたから仲間はずれだー！」やら、「麻里子ちゃんは、博美と喋ったから絶交よ」状態になっているのである。

ここから感じられるのは、日本に巣食う「お客様は神様です」信仰である。南青山氏は、「中川を津田さんの番組に出すのはけしからん！」とまずは言ったうえで「インターフェースが悪い！」と運営にケチをつけ、さらに「老婆心」と人格者ぶり津田氏を追い込んでいく。どうしようもない特権意識である。

ツイッターではこうしたどうしようもない連中と日々交差するため、こうした連中と会ったらさっさと「ブロック」機能を使うのが吉である。

「ろくでなし子ぱよぱよちーん騒動から考えるリベラルの狭量さ」とネットで頻発する決別

では、なぜ、私は「ネトウヨ」認定を受け、津田氏の支持者から叩かれたのか。その背景について解説する。この件については若干長くなるが、本書のテーマである「決別」において重要な示唆に富んでいるのだ。それは以下に現れている。

・余計な人間と付き合わないのが吉
・アンチはいつまで経ってもアンチのまま
・人間はいつ手のひら返しをしてくるか分からないので、余計な人間関係は構築しない方がいい
・自分の好きな存在・信じている存在を毀損している！　と思い込んだらその人はあなたを攻撃してくる
∴あまり人間とは付き合わない方がいいし、どうでもいい人間はさっさと切った方がいい

元々私はいわゆるネトウヨが、在日コリアンに対して差別的な発言をすることを批判していた。だが、ある時、私の運営するサイトで在日コリアン差別に関する記事のアクセス

ランキングが急激に下がった際、「ランキング改竄《かいざん》疑惑」を左翼の男からツイッターで指摘された。つまり「ネトウヨ編集部はこの記事が上位にあることが不都合なためわざとランキングを下げた」と陰謀論を持ち出したのだ。いや、こうした記事を公開する時点で我々がネトウヨサイトではないことは明白ではないか。そして、ランキング改竄の事実は一切ない。あくまでもランキングはアクセス数に応じたものであり、これを改竄してしまうとサイトの信頼性を損ねる結果となる。広告に頼るメディアであるだけに、広告主に対する背任行為にもなるような愚行を、単なる一編集者の思想でできるはずがない。

だが、この左翼の男の言うことを真に受けた自称リベラルは私への攻撃を開始。本来、在日コリアンに対する差別批判という意味では同じ方向を向いていたはずなのだが、「完全に同じ方向ではない」ということで、排除に動き始めたのだ。

この時は「サヨクの内ゲバ」などと揶揄されたが、まぁ、そうだろう。1960年代の学生運動でも仲間割れし、「総括」や「山岳ベース事件」などがあり、結局左翼は全体主義から外れると途端に批判を開始し、粛清をするのである。そして、これのどこが「多様性」だ。以後、自称リベラルから私は見事「ネトウヨ」認定を受け、「中川のネトウヨ化が止まらない」などと言われた。いやいや、お前らの極左への先鋭化が止まらない、が正しい。とにかく、韓国に対して批判的なことを述べるとなんでもかんでも「レイシスト認定」をするのである。2015年以降、「レイシスト」という言葉は完全に軽い言葉になってしまった。どう考えてもレイシストであるわけがない本来のリベラル派でさえレイシスト認定をされ、ツイッターで叩かれ続けたのだ。

考えの合わない部分があったら敵

その代表格が漫画家のろくでなし子氏である。これについては、私が過去にNEWSポストセブンに寄稿した「ネットの反差別運動の歴史とその実態」を引用・加筆する（文中一部敬称略）。津田氏と私の話とは別の「考えの合わない部分があったら敵」となっていく空気感を感じていただきたい。津田氏は基本的には「考えが完全に一致しなくても友人としての関係性は別」というスタンスを私には取ってくれているし、時に私が暴論を吐いた時は、諫めてくれる存在である。元々「ゼゼヒヒ」という投票サイトを運営していただけに、是々非々でものごとを考えられる人物だ。だが、極端な右と左はもう歩み寄りは不可能だ。以下はそれの分かりやすい騒動だ。「ぱよぱよちーん騒動」ともいう。前提としてネトウヨのヘイトスピーチをやめさせようと「レイシストをしばき隊」「カウンター」

が登場し、優勢となり、ネトウヨをビビらせた事実がある。

2013年2月、新たに韓国大統領に就任した朴槿恵《パククネ》は従軍慰安婦問題等を含めた「告げ口外交」を海外諸国に対して繰り返し、徹底的に日本を悪者にする戦略に出た。日米韓首脳会談でもカメラがいる場では安倍晋三首相に対してそっけない態度を取り、オバマ大統領を困惑させた。当初、朴は親日派だと韓国内で捉えられていたため、朴自身も支持率を上げるためには安倍及び日本に対して強気の姿勢を見せればいいと考えていたのだ。そして、2014年7月、舛添要一・東京都知事が韓国を訪問し、朴にへりくだるかのようなお辞儀をしている様が多数報じられた。さらには、東京都が新宿区の土地を韓国学校拡充のために用意するといった宣言も2016年3月にし、舛添に対してはネトウヨを含め嫌韓派からリコール運動も発生した。

しかし、この段階で韓国はもはや経済的にもガタガタで、「ヘル朝鮮」と言われるほど若者にとっては希望のない状態に落ち込んでいた。2016年には朴槿恵と40年来の友人・崔順実《チェスンシル》による収賄等の疑惑が発覚。ソウルでは毎週のように数万〜100万人規模の朴槿恵退陣要求デモが発生する状況になっていた。

基本的にネトウヨを含めた差別主義者は、韓国が元気であればあるほど、そして「反日」をする余裕があるほど養分が与えられ、元気になり路上に繰り出し、ネットで呪詛を吐き散らかす。だが、2015年以降、もはや韓国は反日をするどころではなかった。国内経済を立て直すことが急務で、反日で支持率を上げようといった小手先の戦略が通用しないほどになっていたのだ。朴槿恵も就任当初の強気な告げ口外交は鳴りを潜め、日本側も「嫌韓」どころではなく「呆韓」になり、あとは「忘韓」状況になった。国際関係においては、イスラム国の台頭に伴う邦人の拘束などもあり、韓国の存在感は下がりまくっていた。また、朴槿恵があまりにも反日的な態度を示していただけに、かの国が苦境に陥ろうがどうでもよくなっていた。

だから、ネトウヨにしてもデモをするにも題材が見つからない、といった状況になっていったのだ。そんな中、反差別界隈が目を付けたのは「差別をしている」と自ら認定する人間への攻撃である。とにかくネトウヨが活動意義を見出せず活動自体が盛り下がる中、反差別界隈(「しばき隊」「カウンター」)はなかなか運動の成功が忘れられず、ターゲットを次々と見つけるようになる。それこそその対象は本来「反差別」の点で一致していたリベラル派の人間に対しても及んだ。ちなみにこの間に、大阪で「しばき隊リンチ事件」も発生している。

これは2014年12月16日のことであり、元々しばき隊メンバーだった男性がネトウヨ側と通じているという疑惑を持たれ、その後大阪・北新地の飲み屋に呼ばれ、店外でリンチを受けた件だ。この件については裁判にまで発展し、被害男性が勝訴している。

この件は「十三《じゅうそう》ベース事件」（実際には「十三」で発生した事件ではないが）と呼ばれるようになった。連合赤軍の内ゲバである「山岳ベース事件」にかけているのだが、左翼の内ゲバ体質が変わらないと指摘された。

本来はリベラルと言われる人間であろうとも、ネトウヨ認定をし、一斉に攻撃をしかけてきた件について、その象徴的な騒動が「女性器アート」で知られる漫画家・芸術家のろくでなし子にまつわるものだ。彼女が「マンボート」という自身の性器をモチーフにしたカヌーをクラウドファンディングで作ろうとした際、寄付をしてくれた人に自身の性器の3Dデータを特典として頒布することにした。クラウドファンディングは成立し、カヌーは完成したのだが、警視庁がわいせつ物頒布等の罪等で2014年7月に彼女を逮捕したのだ。さらに同年12月、作家・北原みのりの経営する女性向けアダルトグッズショップにて「デコまん」という性器をモチーフとした作品を展示したことからわいせつ物公然陳列の疑いで逮捕された。

　この時、ろくでなし子の支援に回ったのが反差別界隈も含めたリベラル陣営である。逮捕の理由も不可思議なものだし、表現の自由を守るためにも同氏の逮捕は「不当逮捕」であるといった見方をしたのだ。結果的にろくでなし子は起訴され、裁判に突入。この段階で彼女は反差別界隈にとって「神輿」の一人だった。裁判費用のカンパも集まった。しかし、事態が急変したのが２０１５年11月の「ぱよぱよちーん」騒動だ。

　この騒動の発端は、はすみとしこという漫画家が描いたシリア難民を揶揄するイラストに端を発する。実在するシリアの少女をモチーフにイラスト化し、彼女が不敵に笑う背景の後ろにこうメッセージを書いた。

「安全に暮らしたい　清潔な暮らしを送りたい　美味しいものが食べたい　自由に遊びに行きたい　おしゃれがしたい　贅沢がしたい　何の苦労もなく生きたいように生きていきたい　他人の金で。　そうだ難民しよう！」

　これが差別的だと批判が殺到したのだ。はすみは海外サイトstepFEEDが選ぶ「シリア難民に最悪のリアクションをした7人」にドナルド・トランプやＦＯＸニュースとともに選出された。このイラストは、ジョナサン・ハイアムズという写真家による写真を、はすみがトレースして作ったものだった。こんな使われ方をされたことにハイアムズはショックを受けたとツイート。また、はすみが恥知らずだと批判した。後に彼女はフェイスブックからこのイラストを削除した。

そして、はすみのフェイスブックでこのイラストに「いいね！」を押した（ないは他の方法での支持表明）人物約３４０人の名前・所属・出身校等フェイスブックに公開していたデータを反差別界隈の一人がリスト化した。これを「はすみリスト」と言う。そこにツイッターユーザー「反安倍　闇のあざらし隊」（以下「あざらし」）を名乗る反差別界隈の活動家がネットで晒すと宣言。これを「はすみしばきプロジェクト」という。その宣言通り、実際にその情報はウェブ上に公開された。

当時、反差別界隈はネトウヨ以外からもその攻撃性もあり、すでに叩かれる存在にはなっていたが、さすがに個人情報晒しはやり過ぎだろうということであざらしに対して批判が殺到。だが、あざらしはレイシストに対してはそれくらいしなくてはいけない、といった主張をし、自身の行為の正当性をアピールした。

実際にリストを作ったのは別人だったものの、その後の公開などに積極的に関与したのがあざらしであることから、あざらしの個人情報暴き運動がネット上で開始したのである。いわゆる「ブーメラン」というヤツで、やられたらやり返す、ということだ。そんな時、突如として現れたのが元タレント・千葉麗子だ。彼女のツイートをきっかけに、あざらしがセキュリティソフト関連の会社に勤務する男性・Kであることが明らかになり、さらには千葉とKのツーショット写真も過去の千葉のツイートから発掘された。後に千葉は『さよならパヨク』という書でKと愛人関係にあったと明かしている。出会ったきっかけは、反原発運動である。そして「ぱよぱよちーん」についてだが、2013年末から2014年1月初旬にかけてのKから千葉へのツイートがまとめられた。そこにはこんな言葉が並ぶ。ハートマークや絵文字付きの実にファンシーなツイートの数々である。

〈レイちんぱよぱよちーん　今日は後ほどにゃん〉
〈レイちん、あけおめ、ぱよぱよちーん　今年も力を合わせてがんばろ〉
〈レイちんぱよぱよちーん　大晦日デートで前髪切ってあげようかにゃ〉
〈普段はハードコアなのですが、レイちんにはデレデレになってしまうものでｗｗ〉
「レイちん」が千葉麗子のことで、ぱよぱよちーんは「おはよう」の意味である。レイシストに対する激しい言葉での罵倒を繰り返す、当時50代中盤のKのこれらの発言にネットの一部では大笑いが起きていた。Kの口ひげを蓄えたダンディな顔写真もすでに公開され、セキュリティ専門家としてのスーツをビシッと着用してインタビューに答えるサイトのURLも発掘された。そんな人物が一人の女性に対しては「ぱよぱよちーん」である。ツイッターのトレンドワードにも「ぱよぱよちーん」が入り、ネトウヨも含め、この数日、この言葉は2ちゃんねる、ツイッターで濫用される言葉となったのである。

そして、同時に身バレしたKをおちょくるためにも使われた。

結果的にKが勤務する企業（外資）の日本法人社長のツイッターにも「セキュリティを守る会社の人間が個人情報晒しをしていかがなものか」といった問い合わせが寄せられ、電凸も相次いだのだろう。Kは会社を去ることとなる。ここで反応したのがろくでなし子である。彼女はこうツイートした。

〈ぱよぱよちーん♪って、すごく腹が立ったり深刻な状況の時とかにつぶやくと、ど〜でもよくなれそうで、なんかいいナ。ぱよぱよちーん♪♪♪〉

〈ぱよちん音頭で　ぱよぱよち〜ん♪ぱよちん音頭で　ぱよぱよち〜ん〉

すると、反差別界隈から一斉に批判が寄せられたのである。最初は敬語で諌めるものが多かったが、後に罵倒になっていく。だが、「ぱよぱよちーん」という言葉を使うとネトウヨ、というのは論理的飛躍があり過ぎる。差別の闘士・Kを揶揄しているからネトウヨ、といった理屈だろうが、そもそも「ぱよぱよちーん」は語感が面白すぎる。だからろくでなし子は使ったのだ。以下は初期の頃の穏やかな「諫め」である。

〈ろくでなし子さんがネトウヨに乗っかるんですか？〉

〈これはないでしょう。ネトウヨとコラボするつもりですか〉

〈ほお、ネトウヨ側に立つと〉

〈ハイ。ゴミ確定〉

〈マジでショックです〉

〈まだ削除して謝れば間に合うと思いますよ。ろくでなし子さん自身たくさんのデマや曲解に晒されてきたと俺は認識してますが、その揶揄の相手が今まさにそうだということに思い当たらないのですか？〉

最後のコメントなどワケが分からない。なぜ「ぱよぱよちーん」と書いたら謝らなくてはいけないのだろうか。そして、ろくでなし子をレイシスト認定する流れが来た。また、「裁判で支援したのに…」といった意見も来た。この流れが意味するものは、正義漢であるK（あざらし）をネトウヨと一緒におちょくるとは貴様もレイシストだ！　という決めつけである。だが、ろくでなし子自身は基本的には超個人主義で、自分がやりたいことだけをやる人物である。だから「表現の自由の闘士」として勝手に祭り上げられたといった感覚は持っていたし、困惑もしていたようだ。

また、彼らに特徴的なのはいくら匿名のツイッターユーザーが「ぱよぱよちーん」と書こうが批判はせず、名前の立った人物やフォロワーの多い人物だったら攻撃に来る点である。傾向としては「何を言うか」以上に「誰が言うか」を徹底的に重視している。叩く相手も選んで、よりダメージが多くなりそうな人間を選別しているのである。それまでの反差別界隈による「敵認定」した人間の封じ込めの手法はこんな感じである。

【1】（彼らが考える）問題発言の主を発見する
【2】批判を加える
【3】「しばき隊」のリーダー格である野間易通など中心的な人物が突撃の号令とも取れるツイートをする
【4】一斉にその発言者を罵倒する
【5】反論をしようものなら、さらに激しく罵倒をする

【6】時にはtogetterでまとめたりもする
【7】所属先が分かる場合は電話・メール・ツイッターで「おたくの会社には差別主義者がいる」と一斉通報をする
【8】最終的に謝罪の言葉を引き出すか、音を上げさせてアカウント削除に追い込む

ここまでやられると大抵の人は心が折れ、反差別界隈に屈することとなる。そしてレイシスト認定のレッテルだけが残ることとなる。しかし、ろくでなし子はまったく動じなかった。押し寄せる糾弾者をちぎっては投げ、時には「ぱよぱよちーん」と挑発し、いつしか反差別界隈の反応こそ異常といった空気を醸し出すことに成功したのである。そりゃそうだ。元々の騒動の発端が「『ぱよぱよちーん』とツイートしたらレイシスト」というどうでもいい言いがかりなのだから。顔を真っ赤にして彼女を叱る人々の方が滑稽に見えて当然だろう。それまで彼女を「変なアートを作る逮捕経験者」程度の扱いをしていた人々が「しばき隊の攻撃に一切めげない強い女」として支持するようになっていく。ろくでなし子自身はこの時の攻撃については「警察の苛烈な取り調べを経験している私がこの程度で折れるわけがない」と語っていた。そして、産経系のウェブサイトiRONNAのインタビューでもこの時のことを振り返っている。

〈わたしはK氏が気の毒な反面、自業自得でもあることと、パッと見が強面の印象のK氏が「ぱよぱよち～ん」と過去につぶやいていた事実に、おもわずクスリとしてしまいました。

「ぱよぱよち～ん♪」

なんて間抜けで愉快なフレーズでしょう。口にした途端、誰もが脱力感とほっこりとした楽しい気分にとらわれるはず。

そこで、わたしはおもわず自分のTwitter上でも「ぱよちん音頭でぱよぱよち～ん♪」と無邪気につぶやいてしまいました。わたしのフォロワーさんもこの間抜けなフレーズに反応し、一緒になってぱよぱよちんちんつぶやいていたところ、突然、しばき隊関係者かその一派であろう人たちから「その言葉を使うな！」「削除しろ！」とものすごい剣幕でわたしを威嚇するリプライをしてきました。〉

しばき隊がろくでなし子をレイシスト認定しようにも、彼女にはその認識はない。単に「面白かった」というだけの理由で使っていたら突然攻撃をくらい、「だったら売られたケンカは買ってやる」とばかりに彼女はツイッター上でしばき隊とケンカをし続けたのだ。いや、ケンカというよりは合気道かもしれない。元々は反差別界隈の「神輿」

の一つであった彼女だが、この段階で完全に敵となった。そこでとばっちりを食らったのが女性の人権問題に取り組み、AV出演強要問題などにもかかわるNPO法人ヒューマンライツ・ナウの伊藤和子弁護士である。

12月、ろくでなし子に対する攻撃は収まっていたが、しばき隊と散々ツイッターでやり取りをした結果、ろくでなし子はしばき隊のリーダー的存在である野間易通に対しては妙なシンパシーを感じていたようである。野間のことを「野間っち」という呼び方をし、野間と12月27日に飲み会をやることを提案していた。クリスマスムードも高まる12月10日、ろくでなし子はこうツイートした。

〈♪も〜ろびと〜　こっぞ〜り〜て〜　しば〜きま〜せり〜♪
しばきませ〜り　しばきませり〜
しばぁ　しばぁ〜あ　しばきませり〜〜♪〉

これに対し、反差別界隈からも仲間認定されていた伊藤弁護士が「思わず笑っちゃうなきっと楽しい人なんだろうな♪　タフだし」とツイート。すると、これにかみついたのが反差別界隈の象徴的存在として崇められている在日コリアン三世のライター・李信恵だ。同氏はなんらかの差別案件が発生した時はメディアからコメントを求められたり、講演会にも登場するなどの地位を確立している。

〈あなたも本当にダメですよね、明日の朝にヒューマンライツ・ナウに連絡します。今からでも連絡して下さればば電話に出ますよ。何に乗っかったか、ほんまいい加減にしてくださいね。〉

まさかの伊藤への敵認定である。つまり反差別界隈の「敵」となったろくでなし子に共感するようなツイートをした伊藤も「敵」という認定である。これは彼ら基準からすれば、よくあることだ。恐らくしばき隊ウォッチャーとして日本で最も詳しいのは「田山たかし」というツイッターユーザー（当時）だろう。田山は元々は韓国・在日ウォッチャーで、朝鮮総連や朝鮮学校に批判的なスタンスを取る。北朝鮮本国との繋がりがあるにもかかわらず、かの国の問題に対し、在日本の北朝鮮関連組織が問題解決をしない点を追及してきた。韓国政府や韓国の市民団体の反日的活動にも批判的である。となれば、親韓・親北朝鮮的な反差別界隈もウォッチ対象となり、連日のように反差別界隈によるツイートを晒し、矛盾点やダブルスタンダード的な部分を突いている。まさに反差別界隈としては天敵のような存在だ。

そんな田山は反差別界隈からすると「レイシスト」であり、田山のツイートをRTすると「田山たかしをRTするお前はレイシスト」といった認定を食らうようになる。私が「田山は無用な差別的発言はしていないだろう」と指摘をしたらなぜか「中川淳一郎は田山たかし信者」ということになってしまった。さらにAERAの女性記者が田山のツイートをRTし、共感を意味する「ほんこれ」とつぶやいたところ、反差別界隈から批判が殺到した。彼女自身は普段からリベラルと目されていたため、残念がられたのである。結局反差別界隈が何よりも重視するのは、発言内容ではなく、発言者の名前なのである。その人物が「敵」か「味方」か、「レイシスト」か「反差別の闘士」かで発言の内容がどうあれ、批判か称賛を行う。一旦敵認定してしまうと、それを取り下げるわけにもいかなくなるため、本当はいくら共感した立派な内容であろうがおおっぴらに称賛するわけにはいかない。

敵か味方の認定については、界隈の中心人物の判断を待つこととなる。それこそ野間や李といったあたりの認定を待つ。いざ認定がくだったところで一斉攻撃が開始する。

本来リベラルというものは多様性を重視するはずだったのだが、結局は1960年代の

左翼と同様の行動様式で内ゲバを繰り返し、仲間が去っていくのだ。（NEWSポストセブン　2017年6月7日）

この騒動自体はどうしようもないものだが、人間の「共闘」「離散」「敵対」といったものをよく表す騒動なので紹介した。イデオロギーが絡むと修復不可能なほど人間関係はぶっ壊れてしまうので、「政治と宗教の話はするな」という先人の教えは正しい。

そして、コロナについても「ビビってないvs.ビビってる」「マスクを大事だと思うvs.マスクは意味なし」「ワクチン打ったvs.ワクチン打たない」で分断が発生。これは完全に政治であり宗教の両方のイシューを兼ね備えている。私自身は「コロナはショボいウイルス・マスク不要・ワクチンも不要、特に若年層には」という立場を明言したため、複数の知人と決別するに至った。

コロナでもいかんなく発揮された分断

コロナは完全に「思想」になったと述べたが、奇妙なのが、前項で紹介したネトウヨも自称・リベラルもこの件では意見がほぼピタッと一致したことである。初期の頃、政府が行動制限を出すものだから、リベラル政党である立憲民主党は反対するかと思ったらズッコケた。なんと、政府の行動制限では生ぬるい、ゼロコロナを目指すため、中国のようにロックダウンをしろ！　と言い出したのだ。

かくしてコロナ騒動は3年以上続き、いくらオミクロン株の重症者率が激減しても「まだ何があるか分からない」「ワクチン3回目が必要」「感染力がこれまでの株以上だから結局入院する重症者は多くなるから気を抜いてはいけない」の大合唱が2022年1月は続いた。1月中旬段階で若干潮目は変わってきたが、散々恐怖を煽ってきたテレビ番組や、出演する「専門家」と称する医師は恐怖煽りを続けていた。2022年10月にはもう5回目のワクチン接種が開始し、生後6カ月～4歳児に対するワクチン接種も承認された。2023年に6回、7回目も予定されている。ちなみに日本の人口あたりのブースター接種回数は2022年末には世界一に。ワクチンの先輩国の多くは5回目など打っていない。

さて、「分断」である。正直、私自身、新型コロナウイルスの日本における陽性率が2年間の累計で1・4%、陽性者の内の致死率が1・06%だったことに対し、「これはそこまでヤバいウイルスではないのでは？」ということは、2022年3月末の段階で分かっていた。2020年夏には「これは史上最大のバカ騒動になる」と『週刊ポスト』の対談で漫画家・小林よしのり氏と喋っていた。さらには、マスクだってこのウイルスを遮断できるワケがなく、緊急事態宣言も「まん延防止等重点措置」も意味がないだろうと思っていた。

しかし、世論は圧倒的に「自粛」「規制」「マスク」「感染症対策」を支持し、私のような楽観論者を「殺人鬼」扱いした。さらに、ワクチンについても、私自身はこの程度のウイルスには不要だと思っていたし、風邪のワクチンを作るのは不可能だと思っていた。が、ワクチンこそ社会を救ってくれるもの、というメディア・専門家のプロパガンダにより、信用されまくった。

これについては「ゲームチェンジャーになる」という言われ方をしていた。つまり、「7割が2回打てば、普通に戻る」といったことを、専門家は述べていた。作家・医師の知念実希人氏もそうした発言をツイッターでしている。同氏は2021年9月、接種率が5割を超えた時に「あと一息」と述べていた。

だが、2回打った人間が8割になっても、「ワクチンを2回打ってもマスクをしてください」と商業施設にはポスターが貼られ、結局コロナは終わらず、「3回目を打て」となった。これに対して「聞いてないよ〜！」と本来はキレるべきなのに、従順なる日本国民くかにとはてっ巡をナロコ、ののもいなか書はろこといか細上以れこ。だん望を目回3は「分断」が加速した。

私自身、「ワクチン7割が2発接種」がゲームチェンジャーになり、コロナ騒動を終わらせることが約束されていたのならば、そこに協力したかもしれなかった。だが、間違いなく政治家も専門家もメディアもこの条件で終わらせる気がないことは2021年10月頃に確信となった。初期の頃はただただ「希望はワクチンしかない」と言い、後に「抗体が切れたから3発目・4発目が必要」「オミクロン株には当初の武漢型対応ワクチンは効果がない」などと言い出した。昭和大学の二木芳人氏は『朝まで生テレビ！』（テレビ朝日系）で「この程度のワクチンだったことは分かっていた」と後だしじゃんけんをし、日本医科大学の北村義浩氏は、発症に関しては効かないワクチンであるとしたうえで「打てば抗体量は増えるから、質の低下を量でカバーしている」とまで言った。その後、「一度も打っていない若者は免疫がない」とまでインチキを述べた。

元から専門家なる人々の場当たり的発言に疑問を持っていた自分は、初期の頃から「お前らが勧めるのならばオレは打たない」と決定するのは当然だろう。何しろ彼らは出鱈目過ぎたのだから。

徹底的に彼らはゴールを動かし続けた。結局、新型コロナウイルスについては、変異を繰り返し、終わることはない。インフルエンザと風邪のウイルスが根絶できないのと同様に、今回5種類目のコロナウイルスとして登場した新型コロナについても、同じだったのである。「ウィズコロナ」こそがまともな判断だったのに、世界中が「ゼロコロナ」路線に舵を切り、立憲民主党もそちらを支持した。

この時何を思ったかといえば「もう選挙には行かない」ということである。私自身、かなり自分自身に対しては「自己責任論者」であり、自分の人生がうまくいっているかいっていないかはすべて自分の努力と運と能力次第だと思っていた。だから、いちいち政治に期待することはなく、自らの動きによって自分の人生を上向かせようと考えた。批判はあると思うが、私自身、選挙権を行使したのは、自分が20歳になった後の最初の国政選挙だけだ。以来、一度も選挙には行っていない。

ただ、もしも立憲民主党が自公政権に対して「私権制限はいけない！」と2021年の衆議院選挙で反発したのであれば、選挙には行き、立憲民主党とその候補者に票を入れたことだろう。だが、結局コロナにおいては、まったく投票したい人間も政党もなかったのだ。

「もう、これは政治からも完全に決別だな」と感じたし、もはや「他人には期待しない」という諦めムードが高まり、私自身はとにかく自分と妻と母と甥と友人・仕事仲間・ツイッター上の仲の良い人以外はもうそいつらの人生がどうなろうがどうでもよくなった。

さらばリベラル

立憲民主党の2021年の衆議院選挙の公約が無茶苦茶だった。枝野幸男代表（当時）はフリップを掲げ、誇らしげにその公約を披露した。「こりゃダメだ……」と心から呆れ果てたレベルだ。これらを選んだであろう理由が、いわゆるツイッター上の「ノイジーマイノリティ」が重視するものだったのだ。これについては公約を紹介したうえで、いかに彼らが頓珍漢だったかは解説するが、まずはその公約を見てみよう。

「#政権取ってこれをやる」のハッシュタグをつけた公約は2021年9月7日に第一弾が発表された。大項目は、「政権発足後、初閣議で直ちに決定する事項」で、7個あった。

1. 補正予算の編成（新型コロナ緊急対策・少なくとも30兆円）
2. 新型コロナ対策司令塔の設置
3. 2022年度予算編成の見直し

4．日本学術会議人事で任命拒否された6名の任命
5．スリランカ人ウィシュマさん死亡事案における監視カメラ映像ならびに関係資料の公開
6．「赤木ファイル」関連文書の開示
7．森友・加計・「桜」問題真相解明チームの設置

1〜3の補正予算とコロナ司令塔と予算編成見直しについては、納得できるものである。私自身、もうこの段階では「コロナは放っておけばいい」と思っていたため、本心としては1と2も不要だとは思ったが、完全に「コロナ恐怖依存症」にかかった多くの日本人にとっては必要なものだっただろう。

しかし、学術会議、入管におけるスリランカ人女性死亡、赤木ファイル、モリカケ桜については、国民的な関心事としては弱過ぎる。リベラルメディアが大騒ぎし、大事な問題だとしても関心は薄い。いずれも前項で登場した「自称リベラル」がツイッターで声高に問題視をし、極悪なアベ政権とスガ政権を転覆させるための重要ツールにしていたのだ。恐らく立憲民主党の議員や秘書、職員らはとにかく怒り狂う立憲支持者の声こそ社会全体の声だと感じてしまったのだ。

通常の場合、選挙で強いのは「給料」「雇用」「年金」「医療」「教育」「子育て」を重視する政党であり、候補者である。あとはこの衆院選の場合は「コロナ対策」も大事だっただろう。枝野氏が「政権発足後、初閣議で直ちに決定する事項」として、4年半前の「森友問題」を出した時にライトな立憲民主党支持者でさえ、「今はそれではないだろ……」と感じたのではないだろうか。

だが、安倍晋三氏が「私や妻が関係していたということになれば、それはもう間違いなく総理大臣も国会議員もやめる」と啖呵《たんか》を切ったことと、その後に多くの関係者が「忖度」をし、結果的に財務省の赤木俊夫氏が自殺することとなった。これぞ倒閣のためにもっとも強いツールだとノイジーマイノリティの支持者は信じ込み、また、枝野氏も信じ込んだのだ。

スリランカ人女性と赤木氏の件は確かに人の命がかかわっているだけに大切な件だが、間違いなく「政権発足後、初会議で直ちに決定する事項」ではない。これは日本における人権問題であり、拙速に決定すべきことではない。

ましてや「学術会議」など、ネットの書き込みを見ていても「こいつらは何の役に立っているのだ」「どうせお仲間同士の推薦のし合いの上級国民の仲良し既得権益クラブ」といった批判的な書き込みの方が圧倒的に多い。立憲民主党はこれらを見ていなかったのか、と思うレベルで頓珍漢にも重要な公約の第一弾に入れてしまったのである。

そして、9月13日に発表した第二弾は「自民党では実現しなかった多様性を認め合い『差別のない社会』へ」が大テーマで、以下が項目だ。

1．選択的夫婦別姓制度を早期に実現
2．LGBT平等法の制定／同性婚を可能とする法制度の実現を目指す
3．DV対策や性暴力被害者支援など、困難を抱える女性への支援を充実
4．インターネット上の誹謗中傷を含む、性別・部落・民族・障がい・国籍、あらゆる差別の解消を目指すとともに、差別を防止し、差別に対応するため国内人権機関を設置
5．入国管理・難民認定制度を改善・透明化するとともに、入国管理制度を抜本的に見直し、多文化共生の取り組みを進める

日本に住む人間の大多数は日本人なわけだし、選択的夫婦別姓についても「夫の姓になることが多いけれどそれはそれでいいか」と思っていたり、異性愛者である以上、これらも大人数には刺さりにくい。すでに1～5に関連し「これらを問題視する人々への補助金

を拡充する」と言えば良いのに、「私には関係ない」と思う人々向けにも公約を発表してしまった。

この2つの例を見ても、立憲民主党がいかにネットのノイジーマイノリティに乗せられてしまったかが分かるだろう。マイノリティの人権も大事だが、とにかくその政策を実行するには、まずは選挙に勝つことが大事なのだ。そして、岸田政権は2021年11月からのオミクロン株登場以降、水際対策の強化を発動。結局オミ株は全世界的に広まり、日本もご多分に漏れなかったため、鎖国令は意味がなかった。海外から来たという分析よりも、日本国内のデルタ株が変異し、オミ株になったと考えるのが妥当だろう。

何しろ、初期の頃、「沖縄の米軍と米兵がオミ株を撒き散らした」と散々メディアと専門家は批判。その後、「岩国基地のある山口でも広がった」となった。これが水際対策を徹底しなかった失策だとされたが、もはや日本全国にオミ株は広がった。水際対策というものは感染拡大の時期を若干、遅くする効果はあったかもしれないが、自然由来のウイルスに人間の対策などが通じるわけない。

相変わらず、コロナを恐れるポピュリズムに岸田政権は乗り、圧勝。そうした状況下、世界各国が開国を2022年1月から2月上旬にはしている中、日本は初期に決めた「2

月末まで鎖国令」を維持した。解除は10月11日、そのうえで、外国人にもマスクの着用を「お願い」した。

ここに立憲民主党は反発すべきだったのである。入管問題をあそこまで苛烈に叩くのであれば、「水際対策」を重視し、外国人を日本に入れようとしない岸田政権を徹底糾弾すればいいのに、しなかった。スリランカ人女性1人の件があったから公約にも入れるほど外国人の人権を重要視したのに、「日本に入れない」という入管以前のことを立憲民主党は問題視しなかった。だから貴殿らは政権が取れないんだよ。

さらには、ワクチン2回接種率も20%台のオミ株を最初にWHOに報告した南アフリカはすでにピークアウト。死者も少ない。だが、そこから我が日本は「すさまじい感染力の株が来た」「弱毒化しているとはいえ、感染者数が多ければ重症者は増える」のロジックにより、もう自民・公明・立憲民主連立政権のようになり、オミ株に対して毛布をかぶってブルブルしていたのである。

「専門家」が突然の転向、さらば権威への信頼

2022年4月末、コロナをめぐり、突然様々なことが変わった。その最大のものが

「マスクはもういらないのでは」という空気感である。テレビ番組は「マスクはいつまで」といった特集を作り始めた。要するに、世界各国がマスクをすでに外している状況で日本と中国だけが最後の2カ国になる金メダル争いをしている状況下、さすがにテレビも「これって変じゃね？」と思い出したのだろう。或いは「もう、その圧倒的能力を強調し続けてきたが、もはや騙し続けられないかも」と思ったのかもしれない。何しろ、海外スポーツの中継を見ると観客もベンチも誰もマスクをしていないし、ロシアのウクライナ侵攻においてもマスクをしている人など登場しない。挙げ句の果てにはG7のサミットでは、岸田文雄首相でさえマスクを外している。85歳のフランシスコ教皇に謁見をした際はマスクを外し握手までしている。そして、日本に帰国した瞬間、飛行機のタラップに姿を現したらマスクをしている。このパラドックスはさすがにバカな視聴者も疑問に思っているだろう、ということでこのような企画を各局乱立させたのだろう。

4月29日、「『必要ない場面も…』一律のマスク着用に見直しの議論が　犬の散歩や図書館ではマスクを外してもいいって本当？」という見出しの記事がTBS　NEWS　DIGというサイトに登場した。これは、JNN（TBS系）のニュースで報じられたものを転載するニュースサイトだ。そこに、これまでマスクを激推ししてきた3人の「専門家」のコメントが登場する。国立感染症研究所の脇田隆字所長は、「熱中症のリスク、あるいはコミュニケーションがとりにくくなるということもありますので、屋外で人との距離が十分にある場合、マスクを外すということが推奨されると思っております」と述べた。

わずか1週間前に「ウィズコロナの状態でマスクを外す時期は日本において来ない」と、要するに「一生マスクしろ」と発言した「中川寿司男」こと日本医師会の中川俊男会長（当時）は突然翻意。「屋外などで十分な距離があるときにはマスクを外す対応を取って頂きたいと思います」と会見で述べた。

そして、厚労省アドバイザリーボードのメンバーである国際医療福祉大学の和田耕治教授は「駅でみんなずらずらっと行くところでも、そんなに話している人がいるわけでもないし、（屋外なら）話している人がマスクをしているのであれば周りの人は、特段、本当は（マスクをする）必要はなかった」と述べた。

そしてマスクを外してもいい場所の例として「犬の散歩」、話すことが少ない「図書館」、聞くことが中心の「学校の授業」などではマスクが不要だと述べたのだという。

結局3人とも世界がマスクを外し、さらにはマスク装着率が体感値では99％超だったのに史上空前の陽性者数となった「第6波」を経て「マスクってそこまで効果あったの……？」と考える人が増えた空気感を察したのか。途端に「マスクを外せる場合もある」と言い出した。今後段階的にかつて厚労省も推奨していた「マスクは咳が出ない人、着用するのが快適な人以外は必要ありません」という方向に持っていくのだろう。

だが、和田氏が挙げた「犬の散歩」「図書館」「学校の授業」は情弱な日本人を惑わすかもしれない。「以下の場合、どうなんですか!?」と自分で判断できない人間が疑問を抱いてしまうのだ。「自分1人の散歩」「2人での散歩」「ランニング」「スーパーでの買い物」「博物館」「講演」「クラシックのコンサート」などだ。あくまでも和田氏は「開放的な外」「喋らない場所」であれば不要と述べているが、結局「飛沫はいけない」と言っているのである。5月に厚生労働省も「屋外で2mの距離が取れれば不要」と宣言するも周りが外さないから外さない。ハッキリと「着けたい人だけ着けてください。効果はよくわからないので」でいいのだ。

マスクの効果を最大限に言い続けてきた彼らだけに、慎重に少しずつ緩めていく戦略を取ってきた。さすがに「いつでもどこでもマスク」という方便が通用しなくなってきていることは彼らも分かっている。

そして、参議院選挙の国民民主党の比例公認候補となった医師の上松正和という人物がいる。この人物もマスク・ワクチン推進派であり、前出・峰氏とともにネットの生配信をした。その時、2人とも酒を飲み、マスクをしていなかった。そこに「松本 康男 やすボーイ@東洋医学健康アドバイザー」というIDからツッコミが入った。

〈なぜマスクしていないのか？他人にはマスクさせて、自分たちはしない…おかしいですね。〉

これに上松氏はこう答えた。

〈マスクは感染対策の一つのなので、状況に応じてするものです。共に3回目の接種を終えて、日頃の感染対策も信頼できる人と2人でいる場合はその必要性は薄いです。その程度の理解で、あなたは難病や末期癌が治る方法があると吹聴して藁をも掴む思いの人を食い物にされてませんか？〉

2人の配信時にマスクをしていなかったことを正当化しつつ、後段では、質問をした松本氏を誹謗中傷するツイートをしている。これにはさすがに私も反論した。峰氏も上松氏もマスクが本当に効果があるわけではないことは分かっているのだろう。ただ、過去の発言から引き下がれないだけなのだ。私はこう意見した。まさか返事が来るとは思っていなかったのだが、私自身も5万7000人超のフォロワーを持っていたので捨て置けないと思ったのだろう。

「共に3回目の接種を終えて、日頃の感染対策も信頼できる人と2人でいる場合はその必要性は薄いです」が上松氏のツイートの肝である。元々「濃厚接触者」の定義は「15分以上マスクをしないで2メートルの距離にいた」などに始まり「同じ飛行機内にいた」や「サッカースタジアムの同じブロックとその隣のブロックにいた」などいつの間にかバージョンアップする。上松氏も突然「ともに3回目接種」「感染対策も信頼できる人2人」という設定を作ってきたのだ！　これはこの2年以上に及ぶ「専門家」とやらによる何度も発生した「設定変更」「ハシゴ外し」と同じ重要なツイートのやり取りなので、我々のやり取りを並べて紹介する。

（中川）〈またその場凌ぎのテキトー発言が来たぞ。じゃあ、高齢者施設と病院で2人が喋る場合はマスク不要ってことになるんか？　何もかもが滅茶苦茶。「ワクチン3回打ち」「2人」だったらマスクは不要、というまた謎設定が爆誕。コロナ騒動って最初からずーっとコレなんだよな。「県境をまたぐな」「4人まで」とか〉

ここから先は、エスカレートしながら続く。

（上松）〈その読解力でライターさんなのでしょうか？（高リスク者と常時接する訳でもない）無職で、感染対策の知識を習得していて、接種3回済みの2人がマスクし続ける意義は高くないでしょう。リスクのレベルを理解しないと誰かと（マスクを外して）食事をするのが許されない社会になって生きづらいですよ？〉

（中川）〈そりゃそうでしょうよ。ライターになってもう22年目だよ。6月に新刊も出るわ。ライター以外の何物でもない。なんつー読解力だ。貴殿は「共に3回目の接種を終えて、日頃の感染対策も信頼できる人と2人」と書いた。突然「無職で、感染対策の知識を習得していて」の条件を加えた。設定都合良過ぎだわ貴殿〉

（上松）〈ライターさんは一次情報を当たるのが基本だと思っていたのですが違うのでしょうか。少なくとも会話を遡ればどの2人かわかりますよね。そしてその2人のことを少し調べればどういう人達なのかもわかりますよね。ただの思い込みや切り取りでいつも記事を書かれていると判断されかねませんよ？〉

（中川）〈峰さんと上松さんと当然把握。勝手に私がお二人を知らないと決めつけんで下さい。峰氏とも過去にやり取りしてます。「共に3回目の接種を終えて、日頃の感染対策も信頼できる人と2人でいる場合（後略）」の根拠を聞いたんですよ。それとも「3発打った医療従事者2人ではマスク不要」という設定誕生ですか〉

（上松）〈…ちゃんと読んで下さい。リスクが低い場合を（文脈がわかるように）ちゃんと書いてお伝えしましたよね。それで勝手に「3発打った医療従事者2人ではマスク不要」とか設定される人は悪意で話を捻じ曲げて会話が成立しないのでこれ以上は不毛ですね。〉

（中川）〈「（高リスク者と常時接する訳でもない）無職で、感染対策の知識を習得していて、接種3回済みの2人」が「リスクが低い場合」の部分ですね。「知識習得＝医療従事者」は事実ですよね。で「3回」も事実ですよね。「3発打った医療従事者2人ではマスク不要」まるで曲解してないが。これ以上やると恥かくよ〉

ここで一旦終わったのだが、上松氏は支持者から「そんなに熱くならないでください」的に自制を求める意見に「あえてデマを広げていくスタイルの人には、（そのデマで人を死に追いやるところを見ているので）語気を強めてしまいます。すみません、仰る通り、基本は丁寧に淡々と説明したいと思っています」と述べた。当然私は「デマ認定しやがった。どうせ『共に3回目の接種を終えて、日頃の感染対策も信頼できる人と2人でいる場合はその必要性は薄い』の根拠も示せないヤツがオレをデマ野郎扱いしやがって。なんで『3回』で『2人』なんだよ。なんで『3人』じゃダメなんだ。根拠もない発言の方がよっぽどデマっぽいがな」と返すのみである。

この2年以上の医療界の「権威」となった人々は完全なる万能感を持ち、医師免許を持たぬ人間を徹底的に見下した。「ハンコは役職が下の人間は斜めに押し、上司に頭を下げているような表現しましょう」と言う「マナー講師」のことを「失礼クリエーター」と呼ぶが、医者は「病気クリエーター」だと今回のコロナ騒動で私は確信した。普段から信頼している医者はさておき、医者という肩書を持っているからといって一律に尊敬する必要はない。あくまでも職業の一つでしかない。

そして、散々テレビに出まくっては小遣い稼ぎをしまくり恐怖を煽ってこの世の春を謳歌した医師はツイッターのフォロワーを激増させ、著書も多数出した。政府分科会会長の尾身茂氏のように自身が当時、理事長を務めていたＪＣＨＯ（独立行政法人地域医療機能推進機構）は、コロナ患者を受け入れるべき病床が実際は稼働していなかったこととそれら「幽霊病床」も含めて311億円もの補助金を得ていたことが朝日新聞系のメディアにより明らかにされるも、とんずらを決め込んだ。

一躍、「高齢者タレントNo.1」的なポジションを獲得した2021年9月、尾身氏は「#ねぇねぇ尾身さん」と書かれた白いTシャツを着用してインスタグラムのライブに出演。

視聴者と積極的にやり取りをするかと事前に期待されたものの、基本は事務局のスタッフとのやり取りに終始。幽霊病床および「ぼったくり」との批判については「『ぼったくり』という意見は承知しています。実際に受け入れた患者が少なかった事実はあります。補助金の扱いは国が方針を示すと思いますので、適切な行動を取りたいです」と述べ、その後インスタライブからは逃走した。よっぽどインスタのコメント欄の苛烈な批判に驚いたのだろう。その後、申し訳程度に2回更新したが、2021年12月24日以降の更新はない。その更新でも分科会の役割を図で解説するなど、「幽霊病床」「ぼったくり」についての説明はない。

まぁ、「専門家」なんてそんなもんである。東日本大震災に伴う福島第一原発の事故において、原発の安全神話を信じていた原発の専門家は「メルトスルーはしない。格納容器は安全だ」などとテレビで事故直後に言っていたが、結局メルトダウンもメルトスルーもしていた。

メディアに登場する専門家なる存在は、自身の利権と立場を守ることこそ最重要な課題と考えており、国民の利益に寄り添う人間ではない。そうでないにしても「感染症撲滅」に人生をかける「感染症オタク」である。そんな「専門家」の言うことなど聞く必要もない。特にコロナでは正しいことを言い続けた鹿児島の医師・森田洋之氏や前衆議院議員の青山まさゆき氏などは単なる変人扱いされ、メディアから大きく取り上げられることはなかった。なぜ私はこの2人を「正しい」と思うかといえば、自分の考えと近いからである。

所詮、自分の人生。専門家の意見よりも各自が自分が正しいと感じる行動を取ればいいのである。専門家はあなたの人生のことなどどうでもいいと思っている。そんな人間にマスク着用や行動自粛、ワクチン接種などの判断を委ねる必要はない。自分の判断こそ所詮他人如きの意見よりも圧倒的に至高なのである。

親との決別

人生でもっとも濃厚な関係性は「血の繋がり」といった意見もあるだろうが、そこも正直そこまで重要ではなくなる。もちろん社会人になるまで育ててくれたことには感謝するものの、その後は親も子も個々の人生を送ることになる。もしも子供が自宅にい続け、いわゆる「子供部屋おじさん（おばさん）」になった場合は別だが、大多数は親とは別の家に住むことだろう。

そうなった場合、もはや親と会うのは職場の同僚よりも当然頻度は低くなる。私の場合、社会人になって丸10年を終えた2007年までは年間3～4回は親（ともに2022年11月現在で77歳）に会っていたが、その後年間1回になり、2014年頃から父親と関係が悪化し、次に会ったのは2016年だった。そしてそれから7年間会っていない。母親とは2回会ったが、6年で2回。このペースで行けば、父親と会うのは葬儀で遺体となった姿を見る時だけかもしれない。母親とは3年に1回のため、彼女が79歳、82歳、85歳、88歳、91歳といったところか。さすがに94歳まで生きるとも思えないため、もっとも多くてあと15年間で5回である。それでも構わない。結局今、大事なのは妻であり、弊社社員のY嬢をはじめとした昔からの友人・仕事仲間、唐津までわざわざ来てくれる人、そして唐津・佐賀で出会った人々なのだ。

私は社会人1年目までは母親と同居していたが、その期間は24年。記憶があるのは4歳以降のため、一緒に過ごした期間は20年しかない。妻と一緒に過ごした期間は13年であり、「20年」はそう遠くない未来に到来する。

一方、父親に関してだが、彼は私が4歳の時にインドネシアへ単身赴任で駐在し、戻ってきた時に私は10歳になっていた。だから正直、誰だか分からなかった。そこから2年一緒に過ごすも、今度はアメリカへ行ってしまう。自動車の合弁会社を日米両国のメーカーで立ち上げるため、デトロイトへ行ったのだが、「何がどうなるか分からないからワシ一人で行く」と再び単身赴任に。

その約2年半後、シカゴから南に300kmほど下った小規模都市に無事工場は完成し、アメリカの長期滞在が決定。拠点が定まったということで、中学2年の1987年10月から高校卒業後の1992年7月までの4年9カ月をアメリカで過ごした。この時は生まれて初めて家族4人での旅行をした。

大学進学のため日本に戻ったが、大学3年生の時に父親は日本に戻り、以後3年間一緒に住むこととなる。となると記憶がある状態で一緒にいた期間は7年9カ月しかない。血の繋がりはあるし、自分を大学卒業まで育ててくれたことには感謝しかないが、結局自分にとって人生全体の6分の1ほどの時間しか過ごしていない父親との関係が希薄になるのも仕方がないのではないか。

第6章
様々な決別　人間との決別
または、日本が終わった3日間

学校との決別、そして人間との決別

親子の呪縛というものについてはこのように「まぁ、振り切ってもいいのでは」と私は考えているが、子供にとっては学校がそのような存在ではないだろうか。公立の小中学校など、たまたま同じエリアに住んでいる同年齢の子供達が入るだけである。そこに一切の選択はない。だから、どうしようもなくイジメられたりした場合は、引っ越せば学校を変えることができるようになる。

結局、イジメというものは、イジメる側のガキがアホなため、発生するだけなのだ。だったら悔しいが、そこから逃げる方がよっぽどいい。そんなアホを改心させることは難しい。いじめの件数は、児童・生徒の数が減っているというのに激増している。

文部科学省が2021年10月13日に発表した「令和2年度　児童生徒の問題行動・不登校等生徒指導上の諸課題に関する調査結果の概要」には、いじめの件数の推移が記されている。2007年から2011年のいじめ認知件数は10万件前後で推移していたが、2012年に約20万件に上昇。以後2015年まで23万件の範囲までで微増を続け、2016年に一気に30万件を超え、2017年に40万件を突破、2018年には54万件を超え、2020年は51万7163件となった。そして2021年は61万5351件と過去最多を記録した（22年11月27日、文部科学省発表）。

もちろん、過去はいじめについて学校も教育委員会も徹底的に調べなかったというのはあるだろうし、親も「子供のケンカに私が口出すのもどうかと思う……」などと積極的に解明しなかった。だが、我々の時代も中学2年生男子が首吊り自殺をした「中野富士見中学いじめ自殺事件」があった。彼は私の1学年上である。この一連のいじめについては、「葬式ごっこ」が象徴的だ。教師4人とクラスメイトのほぼ全員が参加し、色紙を机の上に置き、追悼のメッセージを送ったのだ。これが自殺の引き金になったとされ、後に教師は当件について口止めをしていた。

結局、生徒は東京から遠く離れた岩手県盛岡市の駅前ビルのトイレで首吊り自殺をしたが、床には「俺だってまだ死にたくない。だけどこのままじゃ、『生きジゴク』になっちゃうよ」などと書かれた遺書が見つかった。

山形マット死事件は、私が大学1年生になった1993年に発生したが、中学1年生の生徒が、体育のマットに逆さまに入れられ窒息死した。これにより少年法改正への機運が高まった側面もある。

最近のいじめで私がよく見かけるのはマスクをめぐるいじめである。とある母親がツイッターに投稿したものは、小学2年生から3年生になる時、クラスメイトと互いの良かったところをカードに書き、送り合うという催しがあったのだという。マスクをしない男児に寄せられたカードを母親がツイッターに公開したが、そこには児童にマスクをするよう伝えるものばかりだった。意訳するとこのような感じだ。

〈○○くんはピカチュウの絵を描くのは上手だけどマスクはちゃんとしなよ〉

〈3年生になってもマスクをしないの？　○○くんは〉

〈いつも○○くんはマスクしてなかったね、それじゃーね〉

このクラスで○○くんは反社会的児童扱いされていた様子が分かる。多数派なら超マイノリティに対しては何を言ってもいい、というまさに「いじめ」の構図だ。そして、こんなツイートも大反響を呼んだ。まさにマスク生活が3年目を越えた2022年5月12日、ツイッターユーザー「べむ」氏（@vvvemuuu）による連投で、約3000の「いいね」が付き、RT（引用）も約1100となった。べむ氏はこう書いた。

〈今日仕事帰りに電話がかかってきた。電話の向こうで息子号泣。息子たち1年生が2年生の列を抜かしたら『マスクしてないくせに抜かすな！』と言われ、分団の子は先に帰されて息子だけ通せんぼされて1人にされて〉

〈『お前の首切るんだけどなにがいい?包丁?ナイフ?チェーンソー?俺はチェーンソーがいいな』や『お前なんかチビで弱虫のくせに』と3人がかりで言われたそう。もちろん『マスクしろよ』って言われて『ごめんけど、できないの』と話した。〉

〈『は?意味わからんし明日お前がなんでマスクできないか聞くでな』と言われ息子は途中で無視して走って逃げたけど1人がしつこく追いかけてきたらしい。最初は同じ分団の子も庇ってくれたけどあまりのしつこさにみんな諦めてしまったとか。〉

その後、家に帰って来て姉の姿を見て号泣した息子とともに学校へ行き、事情を教師に説明させたツイート主。教師も唖然としており、前向きな息子はこのことを喜んだという。

さらにはＲＥＩＫＯ氏（@REIK0desu）は5月13日にこうツイートした。

〈息子、素顔登校初日。朝一番に先生がクラスのみんなに『マスクをしていないからって喋ったらダメということではありませんよ』と言ってくれたそう。でもその言葉は届いてないようで『マスクをしてないなら喋るな』と数人から数回浴びる息子。ひとり廊下で泣いていたそう。〉

この約3年間、日本で続く「マスク圧」は子供の中ではいじめの有力な根拠にもなった。いじめというものは、「マジョリティと違う」ということで発生しがちだ。外国人とのダブル、言葉が違う（前出・山形マット死事件の被害者は都会の言葉をしゃべっていたという）、太っている、メガネをかけている、アトピー性皮膚炎があるなど、ありとあらゆる「違う」というだけでいじめは発生する。

要するに、リベラルが批判するところの「差別」であり、そこに暴力（身体的・言葉の両方）やいやがらせが伴うこともあるということだ。

私は２０１７年10月、プレジデントオンラインに「〝小中学校の友人〟なんてクソみたいなもの　きれいごとで子どもを追い込むな」という原稿を寄稿した。９月１日、２学期開始の日に多くの小中学生が自殺することを受けて執筆したものである。大いに話題となり、『林先生が驚く初耳学！』（ＴＢＳ系）でも取り上げられた。論旨としては以下の通り。

①一生地元に残る、という選択をしない限り、長い人生を考えれば小中学生の友人（公立）は意味がない。※ただし、私立の小学校から高校までの一貫校でいじめに遭ってしまった場合は、その通りではない（何しろ12年は長すぎる）。
②場合によっては引っ越し・転校も選択肢に入れて良い。
③私自身、神奈川県川崎市・東京都立川市の小中学校の友人でこの15年で会った人間は

3人しかいない。

④そもそも子供なんて「天使」ではない。より直接的に相手を傷つけるし、万引きはするし、自販機の下に落ちている小銭を盗んだりするもの。

⑤私自身、小中学校の友人で44歳の時に会ったのは、たまたまバンコクへ行くことを宣言していた時に、川崎市にいた頃の同級生（バンコク在住）からフェイスブックで連絡が来て会っただけ。あとは中学・大学が一緒だった会社員時代の同期と、なぜか毎年結婚記念日にお祝いのメールを送る女性だけ。よって、小中学校の友人で現在でも接点があるのは3人だけ。しかも、会うにしても数年に1回レベル。

ここから導き出されたのが「小中学校の友人なんてクソ」という極論である。正直、今、49歳にして彼らが現在の自分の人生に与える影響はまったくない。だから、そんな連中は「クソ」認定してもいいのである。そういった前提をもって私は以下のように書いた。

〈幸いなことに、私は子どものころ、立川の学友たちとよい関係を築けていたと思う。とはいえ、いま、彼らのことが大事か？　と問われると、正直なところまったく大事ではない。むしろ大事なのは、現在仕事をしている取引先の皆さまがたである。一緒に仕事をしている期間が3カ月の人のほうが、小中学校時代の友人より大事なのだ。なにより「共通言語」が多い。率直なところ、業界関係者が集まる飲み会で初めて会った人のほうがはるかに話していて楽しいし、有益な情報を得ることもできる。〉

どちらにせよ、大人になってしまえば、「仕事」「家庭」のみが大事な人間関係になり、「小中学校の友人」は、よっぽど地元に根付いている人以外はさほど重要ではなくなる。だからこそ、現在、小中学校がツラい息子・娘を持つ方には「小中学校の友人なんてクソ」と伝え、そいつらとは卒業後は縁が切れ、どうでもいい存在になる、そしてそのクソみたいな体験については、いずれ実名で告発してやれ、と教えてやるのだ。

本書を書いている時点で、私はいわゆる「地方都市」である佐賀県唐津市在住だが、地元にいる人々は恐らく小中学校の友人を大切にしているであろう。しかし、その頃イヤな思いをした人々は福岡市をはじめとした別の場所に移っていると思われる。飲み会に参加すると「中学で一緒だった」や「高校の同級生」といった話を聞く。こうした人々は、幸せな小中高時代を過ごし、地元で生活を続けているわけで、それは素晴らしいことである。ただ、そうではない人は逃げていいのである。

こうして考えると、もはや「小中学校の友人との決別」どころではなく、常に「人間」とは決別していいのである。時々職場のパワハラ案件のニュースが登場する。なぜか分からないが、高圧洗浄用のホースで水を同僚の尻に発射し、その同僚が死んだり重傷を負うという事件がある。

なんで尻にホースを向けて水を発射させるモチベーションがあるのかは分からないが、とにかく加害者は肛門に水を発射したかったのであろう。その後逮捕されるのだが、この手の事件が地域性関係なく時々発生する。これは「大人のいじめ」である。被害者にとっては運が悪かったとしかいいようがないが、どちらにせよ時にはクソみたいな人間に出会うことがある。そういった意味で、人間なんてものは害獣や蚊よりも悪質な存在であり、人間とも決別する方がよっぽど幸せだ。

極論めいていることは分かるが、結局自分に借金を申し込んできたり、何らかの精神的苦痛をもたらす存在は「人間」なのだ。だったらいかにして人間との接触を減らすか、ということを考えなければいけない。

ただし、「世捨て人になれ」ということではない。あくまでも「自分にとって不要かつ害悪をもたらす人間をさっさと切り、親切で相性の合う人は大事にせよ」ということである。全員を切る必要はない。とにかく不要な人間は徹底的に避けよ、と言いたいのである。

会社・出世との決別

新型コロナウイルス騒動を受けて、つくづく自分がフリーランス（厳密には2人しかいない会社の社長）で良かったと思っている。というのも、自分が会社員だった場合は、他人が決めた掟に従わなくてはいけないのだ。

本書でも再三述べているように、私はマスクが大嫌いである。いや、憎んでいるといっても過言ではない。そんな状況を2020年から2023年まで過ごしてきたが、世間の「マスク圧」がすさまじい中、私は飛行機と強硬にマスク着用を要求する施設以外ではほぼマスクをしないで生きてきた。それでも結局コロナ陽性になることはなかった。素人考えでも分かるのだが、マスクは微粒子である新型コロナウイルスを避けることはできない。あくまでも花粉・粉塵・飛沫・医者が返り血を浴びないためといった役割を果たしている。この点においてマスクの効果を否定するわけではない。忽那賢志氏、岩田健太郎氏、知念実希人氏ら専門家もコロナ以前ではマスクの効果は限定的と述べていた。

しかし、健康な人間がなぜマスクをする必要があるのかがまったく理解できないのだ。

結局、いくらマスク装着率が99％を超えていたとしても、日本ではコロナ陽性者の数は増加を続け、ワクチン2回接種が80％を超えた「第6波」でも、陽性者数は史上空前となったではないか。2022年7月以降、10週連続で日本の陽性者数は世界一を記録した。一旦、世界一は譲ったものの、11月以降7週連続で陽性者数世界一、死者2位である。

私自身、意味のないことをやらされることが本当に嫌いなため、この3年間については「フリーランスで良かった……」「2001年をもって会社を辞めて良かった」という感慨しかない。

というのも、会社員であれば、間違いなく「マスク圧」を受けていただろう。仮に自分の所属する会社の部署が気にしない場合（そんなことは滅多にないだろうが）があったとしても、取引先がマスク重視の会社だった場合はせざるを得ない。さらに言うと、部署の人々は気にしないにしても、大きなビルに勤めている場合、エレベーターに乗るのは自分の部署の人だけではなく、方針の違う別部署の人や、別の会社の人、さらには来客だったりもする。そうなれば、日々の通勤というものは苦痛でしかなくなる。

私は2020年8月31日をもって週2回東京・神保町の小学館のオフィスで行っていたNEWSポストセブンの編集業務から引退した。自分個人の作業をしている時はマスクをしていなかったが、この仕事をするためにはこのようになる。
【マスク着用】駅の敷地内、東京メトロ千代田線内、コンビニへ行く時、小学館に入りエレベーターに乗る時
【マスク不要】屋外、自分のデスクで作業をする時

マスクに関連し、組織人の悲哀を感じる状況もあった。2022年4月末頃からテレビでは「屋外ではマスクを外していいか」や「マスクの装着有無は自己判断で」などと言い出すとともに、芸能人も同様の発言をしだした。日経新聞も社説で自粛やマスクの弊害を述べることが増えた。日経ビジネスの電子版でも上阪欣史副編集長の署名記事で「マスクや自粛はいつまで　出口戦略なきコロナ対策で傷む日本経済」を掲載。他のメディアでもこの論調が5月以後目立つようになってきたが、こちとら2020年5月〜6月頃にはすでに同様のことをメディアで言い始め、それから徹底的に糾弾されてきたのだ。

しかし、上阪氏をはじめとしたサラリーマンは、組織の論理・方針に従う必要があったのだろう。真相は分かっていたとしても「ウチの会社の主張と捉えられたら困る」と上司に言われれば、そんな記事は出すことができない。これはツイッターでも同様で、実名・

顔出しでツイッターをやっている人の多くはプロフィールに「ツイートは私個人の見解であり、所属する組織の見解ではありません」といった注意書きを入れる。組織にクレームが入ることがもっとも怖いのだ。何しろ組織に余計な対処の時間とストレスを与え、さらには上司や人事からの譴責《けんせき》もあり得るからだ。

日経新聞の場合、会社の上層部の方針として「そろそろコロナ煽りはやめていいのでは」という考えが生まれたのかもしれない。対外的には「我々がコロナの危険性について警鐘を鳴らすという一定の役割は果たした。それがマスクを必要に応じて外すことや、自粛をやめ経済活動を活発化するとの現在の提案に繋がっている」などと言いたい気持ちがビシビシと伝わってくる。ただ、まぁ〜、都合が良過ぎるとしか言いようがない。コロナ煽り最大の戦犯とも言える『羽鳥慎一モーニングショー』(テレビ朝日系)では、5月18日に「うつ病」の特集をオンエア。日本のうつ病・うつ状態の人は2013年調査では7・9%だったのが、2020年調査では17・3%になったのだという。お前らのせいだろ!とツイッターでは多数ツッコミが入ったし、視聴者でそう思った人も多いに違いない。

こんな特集を組んだのは、そろそろコロナ煽りで視聴率が稼げなくなったのと、社会の空気を読んでコロナ特集を意図的に減らしているからだと推測できる。ただ、「第8波」

や「オミクロン株」が出たら「待ってました！」とばかりに北村義浩医師や二木芳人医師、松本哲哉医師を出演させて煽りに戻り、なんとか組織として「この2年○カ月の我々の警告は正しかった」と自己正当化する。

コロナ煽りの天才ともいえるテレ朝社員コメンテーターの玉川徹氏は自身も数年前に眠れないことがあり、病院へ行き、薬を処方された話や夜起きるとパッチリと目が醒めるもまだ午前1時だったりすると発言。自分の悲劇体験を永遠に語るだけだ。この男ほど「厚顔無恥」という四字熟語がピタッとハマる男も珍しい。

良心のあるごく一部の番組スタッフは、「一旦コロナ総括と『煽り過ぎました。反省しています』という特集を組むべきでは」と本心では考えていると思う。それは、私が同番組以外のテレビ制作スタッフと話すということだ。だが、結局会社の方針としてそんなことはできるわけがない。

それがよく表れたのは5月18日、日経ビジネスの電子版に掲載された「マスクや自粛はいつまで　出口戦略なきコロナ対策で傷む日本経済」という記事だ。上阪欣史副編集長による寄稿だが、同氏は匿名のツイッターIDで拡散を呼び掛けた。

この記事については、多方面から「よくぞ日経ビジネスがこんなことを書いた！」と絶賛されたが、正直私としては「日本の経済メディアの雄・日経グループは春に入ってからコロナ騒動をいい加減終わらせるべきだ、と言い始めたが、あまりにも遅い。2020年の冬、遅くとも2021年の春にはもう猛烈に主張しておくべきだった」といった考えがあった。

だからこそ同氏の拡散希望の申し出を断り「風見鶏」と表現した。すると同氏はその匿名IDが自身であることを明かし、後程ツイッターでDMを送ると宣言したため、私は彼をフォロー。以後、DMとメールでのやり取りをした。

本人が申すところと、同氏を知るジャーナリストの鳥集徹《とりだまり》氏によると、上阪氏は以前よりコロナ騒動を問題視していた人物で、我々と同じ目線に立っていたと説明。その点については私も「同志」と感じるのだが、我々のようなフリーランスよりも圧倒的に影響力があり、大きく社会を動かせる日経グループの社員（しかも同氏は日経新聞社からの出向）は、なんとしても社の幹部を動かし「このままでは日本経済はとんでもないことになる。さっさとコロナ騒動を終わらせる一大キャンペーンに転じましょう！」とやらなくてはいけなかったのだ。

同氏は2021年8月にコロナ騒動に疑問を呈する原稿を書き、2021年12月から子供へのワクチン接種への疑問など、コロナ騒動への疑義については確かに書いた。私とのメールのやり取りの後もその手の原稿を出し続けた。その点は「他のメディアよりは早い」と認める。ただ、私からすれば遅すぎるのである。

　さらに、「私は会社と闘った」と言うが、こちらは「私は社会と闘った。会社なんて生ぬるい」としか思えない。こうした経緯を経て同氏には三行半《みくだりはん》を突き付ける結果となったのだが、ここでつくづく感じたのが、組織に所属するというのは自己の本心を主張できないということだ。だから私自身はフリーランスで本当に良かったし、日々快適である。一方、会社からは守られないし、社やグループを挙げた一大キャンペーンの展開など無理である。

　現に、私はコロナに対して「騒ぎ過ぎ」「対策は無駄」「マスクなんて効果がない」と言い続けたものだから、複数のメディアからは「あんな危険思想のヤツに仕事を出すな。ウチのメディアまで同じ考えだと思われてしまう」ということで干された。これもよっぽどの「大作家様」以外のフリーの現状であるが、少なくともコロナ騒動について私はメディア各社の正社員よりは潔く正論を述べ続けたと思う。

スマホはやっぱりいらない、本当にいらない

スマホの普及は2007年のiPhoneからだ。日本では2008年頃からアーリーアダプターが使用し始め、以後、メインはスマホとなっていく。「モバイル社会研究所」が2022年4月14日に発表した調査結果の「ポイント」では以下のようになっている。

・スマートフォン比率は2010年から2021年にかけて年々増加。
・スマートフォン比率は2010年には4%程度。2015年に5割、2019年に8割、2021年に9割超えて2022年は94%。

今では、新型コロナの接触確認アプリCOCOA（ポンコツだったが……）や、ワクチン接種証明もスマホが必要だし、QRコード決済ではスマホが必須である、空港や鉄道でもスマホがあった方が利用勝手はいい。当然、地図もすぐに表示されるため、便利の塊でしかない。さらには電子書籍や動画も見られる。こんな素晴らしいものがあるか！ということはよく分かる。

しかし、自分としては「これには限界まで手を出さないでおこう」という考えだ。理由は、電車に乗った場合、7人がけの席で両側の全員（14人）がスマホの画面を見ている、

といったことも珍しくなく、この風景が不気味だからだ。誰もがスマホの虜になっており、完全に中毒になっているように見えるのである。

恐らく、そこまで有益な情報を見ているわけではないだろう。友人のSNSや自分用にカスタマイズされた偏りのあるニュース、漫画などを読み、ゲームをして動画を見る。スマホを駆使して仕事や株取引をする人もいるだろうが、PCの方がまだ使い勝手はいい。若者のフリック入力のスピードに仰天することもあるだろうが、その分PCには慣れていなかったりする。というわけで、私はガラケーを使い続けているが、超少数派でいることが極めて快適なのだ。理由は以下にある。前述と重複するものもあるが、やはりスマホという「社会」と「自分」は分けて考えるべきであり、改めて箇条書きにする。

・メール等の「即返事」を求められない
・無駄なLINEグループに入らないで良く、時間を取られないし「既読スルー」などを気にする必要がない
・使用料が安い
・余計な時間を食われずに済む

・人前でスマホを見ることがないため、「失礼なヤツ」認定をくらうことがない
・電源難民になることがない（ガラケーだと1週間ほどは充電不要）
・常に何かが気になってソワソワするということがない
・フェイスブック等で他人が自慢している様子を常時見ないで済むため劣等感を抱かない
・落としても慌てる必要がない

そして2022年7月、ハシゴ酒をした翌朝、ガラケーがない。家人のスマホで電話してみたのだが、電源が切れていた。しまった。「LOW」の表示が出ていたが、「まぁ、特に何も来ないだろう」と高をくくっていたが、自宅の中にあるか外にあるかさえ分からないのは痛い。自宅の中を捜してみたが、何しろ我が家は乱雑である。簡単には見つからないであろうことは分かっていた。

それから前日行った店を訪ねたのだが、どこへ行っても「なかったですよ」としか言われない。道で落とすとも思えないのだが、何しろ自宅で見つからないのだから手の施しようがない。とはいっても、悪用されることはなさそうだ。そもそも2013年製の機種に

対応した電源など誰も持っていないだろうし、仮に持っていたとしてもメールのやり取りは「10分遅れます」「了解」程度のものだから。約60件の電話番号は入っていたが、これは申し訳ない。メールのやり取りから私の苗字を「中川」だと知った人物が「中川ですが、田中さんですか？　新しい電話番号になりました」と言ったうえで、何らかの詐欺をするかもしれない。だが、私の知り合いは誰一人としてオレオレ詐欺的なものに引っかかるタイプではないし、私は特徴のある声なので多分バレないだろう。

とりあえず、ネット通販にて同じ機種で同じピンク色のガラケーを発見したので紛失から1週間後に購入。ＳＩＭカードを新たに入手する必要があったが、ここで一つ問題が。唐津の私の家からもっとも近いソフトバンクショップまでは自転車で20分かかるのだ。この頃連日猛烈な暑さが続いており、その中、ギアもないママチャリで走るのは億劫だった。こんなことのために友人に車を出してもらうわけにもいかない。

ここで「この1週間、電話がなくて困ったことはないから、まぁ、次に東京へ出張に行く時までは電話ナシ生活でいいわ」と割り切った。8月4日に東京出張があった。宿は六本木のため、徒歩3分のところにソフトバンクショップはある。

かくして携帯電話は無事復活したが、ショップのスタッフは「スマホにするご予定はないのですか?」と言った。「それがないんですよ……」としか言えなかったが、これが偽らざる気持ちだった。

1カ月間、電話がなくて困ったことはなかった。もしかしたら連絡を取りたい相手は困ったかもしれないが、PCのメールかツイッター・フェイスブックのメッセンジャーでどうにでもなる。そしてそもそも唐津に来てから電話が来ることも、かけることも滅多になくなったため、実質的な電話不要生活はすでに1年8カ月も経っていた。

スマホ登場以降、「デジタルデトックス」という言葉が生まれたが、この1カ月はデジタルから離れることはなかったものの、電話からは離れられ、そして一切の不便さを感じなかった。ネットやメールについても、自宅でPCの前にいる時のみ触れることができた。これがことのほか快適なのである。

もうすぐガラケーは消滅するだろう。その際はスマホにするかもしれないが、とりあえず知人の全員がスマホにしても頑なにガラケーでい続けた。これは別の生き方を貫き、かつ自ら不便な状態に身を置いているようなものだったが、結果オーライかな、とも思っている。人々がスマホに次々と乗り換え、使いこなしている間、ガラケーの自分の年収が上がり続けたのは、「スマホがなくても特に大問題にはならない」ということの証左ではなかろうか。

なお、失くしたはずのガラケーは紛失から2カ月半後、ベッドの下から出てきた。トホホ、である。

都会もいらない

2020年11月1日、JR筑肥《ちくひ》線の東唐津駅に妻と2人降り立った時、不安な気持ちでいっぱいだった。47年の人生のうち、都会ではない場所に住んだのはアメリカ時代の4年9カ月だけだったから、東京とのギャップに仰天したのである。もちろん、出張や旅行で地方都市に行ったことはあるのだが、日帰りやせいぜい1泊のため、どこか他人事だった。たとえば宿からコンビニまで徒歩20分かかるとしても「まぁ、今日だけの話だからな」と思えたし、電車が1時間に1本しかなかったとしても、「東京に戻れば3～5分に1本は電車が来るからな」などと、考えていたのだ。

ガラガラの筑肥線の終点から3つ目の東唐津駅で降りたのは我々2人だけ。この日予約していた宿まではタクシーで行く必要があったが、無人改札の駅前には誰もおらず、タクシーは1台も停まっていない。ただし、タクシー会社の電話番号が書いてあり、呼び出すことは可能なようだ。やってきたタクシーは、都会でありがちな迎車料金（ワンメーター分）はなく、走り始めてからメーターを倒した。

宿に到着すると従業員は当然ながら唐津弁で喋っている。私自身は母方の祖父母が北九州市の八幡東区に住んでいたこともあり、北部九州の言葉は分かるため違和感はなかったものの、妻は言葉がよく分からないようだった。

元々唐津に引っ越したら佐賀の魅力を観光・居住の面と仕事の面で2本のPR記事を「SPOT おでかけ体験型メディア」というサイトで書くことは決まっていた。そのため、その晩は編集長で佐賀県庁の仕事をこれまで多数行ってきたライターのヨッピー氏と一緒に「井手ちゃんぽん」という武雄市を発祥とする佐賀名物のチェーン店へ行き、ビールを飲み、夜の唐津城を車道から見て宿へ。

翌日は唐津の名旅館として知られる「洋々閣」の朝食を食べた後、有明海を望む太良町《たらちょう》の屋外サウナへ。地元を愛する飲食店経営者が「色々な人がフラリと訪れる場所が作りたかった。あと、最近、一度都会へ行った娘が『太良っていいところだね。外に出て改めて分かった』と言ったんですよ」と言った。

その後、唐津に住み続け、様々な人々との交流を続けたが、実に快適だった。もっとも大きいのは、公共交通機関を使わないで良いということと、どこかの会社で勤務しなくていい点だ。

大きな理由はやはりマスクである。結果的に2022年7月以降、日本は世界でぶっちぎりの1位の新型コロナウイルス陽性者数を記録し続けた。10月9日時点で実に10週間連続である。それまでは「日本人はマスクを皆がつける民度の高さから守られている」という神話がまかり通っていたが、これが完全に崩壊したのが2022年の夏だったのだ。

唐津でマスクについてガタガタ言われるのは、某コンビニチェーンの店長の男がいる時、福岡への高速バスの運転手のうち2人に当たってしまった時、コロナ脳のスーパーの肉声アナウンス——この3つだけである。

都会の場合、どこも「マスク圧」がすさまじかった。特に福岡は強烈で、各所にマスク着用を呼びかけるポスターが貼られ、アナウンスも頻繁。「思いやりワクチン」なる言葉を作りポスターや動画を作った。「黙食」も福岡のカレー屋発の言葉であり、その後「黙浴」「黙蒸（サウナ）」「黙乗（バス）」など様々な派生形が誕生した。どこの都会であってもそのような状態だっただけに、コロナ騒動のほとんどの時間を唐津で過ごせて良かった。

よく「田舎は人の監視の目が強くて居心地が悪い」などと言われるが、唐津のような人口11万7000人都市であれば、そこまででもない。もちろん、2人でもたどれば必ず共通の知り合いがいるような状況ではあるものの、互いに監視をし合うということはない。ただ、言われたのが「この街では他人の悪口を言ってはいけない」という生きるうえでの知恵である。何しろ、知り合い同士であることが多いため、本人に伝わってしまうことがある。

私が東京と川崎に住んだ期間は約42年間だが、正直そこまでこれらの大都会で住んだらあとは札幌・仙台・さいたま・千葉・横浜・名古屋・大阪・福岡に住む気はない。結局いずれも「渋谷風」「新宿風」「池袋風」なのだ。もちろん、固有の文化があるエリアは存在するものの、正直東京を経験してしまうと他の大都市はどれも同じに思えてしまうのだ。

完全なる過疎地に都会人が移住するのはキツいだろうが、中規模都市～地方の政令指定都市であれば案外快適に過ごせるのではないだろうか。あと、別荘地は意外と住みづらいかもしれない。というのも、元から住んでいる人との断絶があり、彼らから「ケッ、都会の金持ちがハイソなコミュニティ作りやがって……」的な穿った見られ方をされてしまうこともあるからだ。となれば、一旦大都会に住み、別の場所に移るのならば、具体的にはどこの土地がいいか。あくまでも私の勘だが、函館、松本、富山、静岡、浜松、新潟、岡山、松山、唐津、長崎、宮崎、鹿児島あたりか。

結論からいえば、東京という大都会を捨て、田舎とはいえないものの、都会ではない唐津へ移って良かった。その理由を挙げてみる。

①人間関係をリセットできる

生来気の合わない人間とは付き合わないようにしていたのだが、やはり東京でフリーランスとして仕事をしていると次々と人間関係が増えてくる。付き合う人々は皆自分にとっては親切で一緒にいる時間は心地よいのだが、何しろ人数が多すぎる。打ち合わせは多いし、飲み会も多い。平日はほぼ毎日誰かと飲んでいたので疲れることは多かったし、自分が最年長であることが多かったため、必然的に多くの金額を支払うことになっていた。

自分から誘うことはあまりなく、誘われることばかりだったが、物理的な距離を作ることで、会おうにも会えなくなった。自分が東京に行く時に会う人は本当に親しい人や重要な仕事相手だけになったし、唐津に来る人も本気で私に会いたい人だけである。

②新しい人間関係を作れる

前項とは矛盾するが、それでもやはり人恋しくなるもの。そんな時に、付き合える人と新たな地で作るとその人経由で色々な人を紹介してもらえ、50歳を手前に新しい友人が次々とできた。これは意外だった。もちろん、東京時代も新しい人間関係はできたが、基本的には仕事の延長からの付き合いであることが多い。

過去には仕事や出版業界、ネット業界の話などが会話の中心だったが、今はこうしたことに加え、釣りやら街のイベントの話、クルーザーに乗ろうぜみたいな多種多様な話をするようになった。

あと、街が狭いため、やたらと知り合いに出会う。そして不思議なのが、普段から挨拶をするような人が同じイベントに参加したりし、ますます交流が増える、という循環になる。とあるマイナーな漫画やアニメのファンがやたらと会うことが多いだろうが、それに近い。現在の私の場合、「コロナバカ騒動に呆れている唐津の人々」とやたらと仲が良くなってしまった。

よく行く飲み屋の店員と昼間に鰻を食べに行ったのだが、その帰り、商店街を歩いていたら寿司屋の大将から挨拶をされ、そこからさらに進んだらホットドッグ店の中から「お茶飲んで行きませんか?」と声を掛けてきたのが、遊魚船の船長。40分ほどビールを飲みながら歓談した。

彼の船が向かうエリアはヒラマサやマグロが釣れるのだが、彼の運航する船は年内予約がビッシリ。そのことを知らずに「11月に東京からヒラマサ釣りたい人が何人か来るんですよ」と言ったら、その予約状況を伝えられたうえで腕を組んで「うーん、でも、中川さんの言うことでしたらなんとかします！」とまで言ってくれた。こうした関係性を煩わしいと思う人はいるだろうが、私はこの感覚はかなり好きである。

③まったく異なる価値観を手に入れられる

①と②の続きだが、東京時代、私が付き合っていた人々は基本的には大卒・メディア関係者といったところに限られていた。だが、唐津に来ると、そうではなくなった。高校中退・高卒・大卒がおり、職業は農家・飲食店経営者・飲食店従業員・船長・アウトドア会社経営者・教師・医療従事者・会社経営者・公務員・電気工事関係者・溶接工など様々。

学歴はあまり知らないし、職業さえ知らない、なんてことがある。それでも「気が合う」という一点で付き合うことができるのだ。東京にいた頃は「ある程度似たようなバックグラウンド」があるという一点があったうえで、「気が合う」の二段階があった。だから、違いは明治大学出身か立教大学出身かや、文藝春秋所属か新潮社所属か、週刊誌編集者かビジネス誌編集者かといった違いであった。

そして、唐津という土地柄もあるのだがユネスコ無形文化遺産「唐津くんち」が年間の最重要行事として存在するのが特徴だ。帰省をするのはこの時期の方が正月よりも優先される。そして「招《まね》かれ」「お呼ばれ」といった言われ方をするが、知り合いの家や知り合いが予約した曳山《やま》鑑賞の絶好の場所で宴会をするのである。もちろん、本番前月・10月に開始する笛や太鼓の練習音がうるさい、といった声や男性中心の祭りのため様々な準備をする女性（特に別の場所からやってきた人）にとっては煩わしいといった声はあるものの、この祭りを通じて街は一体化する。

「この街が好き」「マスクが嫌い」「呑兵衛」といった属性の人と私は気が合うが、最後の「呑兵衛」はさておき、最初の2つについては東京では考えられなかったことだ。私が自動車を運転できないため、どこかへ行く時は「ご自宅前まで迎えに行きましょうか？」と言われる。そしてやたらと何かをもらうのである。野菜・果物に加え、釣ってきた魚や猪の肉、さらにはお手製のパンまでもらえる。だからこちらは浅瀬で捕まえてきたタコを渡したりする。

さらには見知らぬ子供達が挨拶をしてくる。東京では子供に挨拶をしたら不審者扱いされたため、マンションのエントランスには「挨拶をしないように」などと注意書きが貼られていたが、唐津では、子供が挨拶をしてくる。あとは、突然老人から「あんたよう日焼けしよるの、ハワイでも行きよったか?」と謎の挨拶をされることもある。「こんな世界が同じ日本にもあったのか」と感じることが多い。これは文筆家としては新たなる価値観を得られることとなる。

④一定のものはすべてある

地方といえば、様々なものがないかと思われるが、チェーン店も含めて多数ある。飲食においては「バーガーキング」や「サブウェイ」などはないが、「CoCo壱番屋」「ロッテリア」「マクドナルド」「KFC」「吉野家」「AEON」「リンガーハット」などは当然ある。さらには佐賀のご当地チェーン「井手ちゃんぽん」などもある。

家電量販店についてはヨドバシカメラとビックカメラはないが、ヤマダデンキとEDIONはある。銀行は基本的には佐賀県の地銀・信用金庫と福岡の地銀はあるが、メガバンクはない。私のメインバンクはみずほ銀行だが、コンビニに行けばATMは使えるのでそこまで不便はない。手数料は一定の預金があるため無料だ。

スーパーでは、東京のようにエスニック的スパイスはあまり豊富ではないし、パクチー(香草・コリアンダー)もAEON等に行かない限りあまり買えない。だが、海産物がやたらと安かったり、地元産の春菊もたいへん美味で安い。米も米穀店に玄米を渡せば精米してくれる。

ある程度の中規模都市であれば、都会とはそこまで便利さは変わらない。そういった意味で、こちらとしては「エスニック食材とパクチーがないのが玉に瑕かな」という程度だ。交通の便についてはJRが30分に1本しか来ないものの、電車に乗る機会が少ないため特に困らない。テレワークもできる今、ある程度立場を築いた人は都会にこだわる必要はない。

唐津に来てからとある外資系大手の生命保険会社の執行役員の女性と知り合った。彼女は息子が唐津の私立中高に通っているため、コロナ騒動におけるリモートワーク開始とともに唐津に移住し、息子と一緒に住んでおり、適宜東京出張はするものの、仕事は無事にこなせている。インターネットの利点を最大限利用すれば地方生活は可能なのだ。

⑤混雑していない

かつて12年間拠点としていた東京都渋谷区・富ヶ谷はJRから徒歩20～25分ほどの場所にあった。東京メトロ・千代田線の代々木公園駅までは渋谷の次の駅である原宿からメトロに乗り換えて一駅なのだが、どうせ同じ程度の時間がかかるから、余計なカネもかかるから、と23時、渋谷駅を降りて歩いて帰ることが多かった。

センター街や文化村通りを通って帰ることが多かったがこの時間であっても家に戻るまでに恐らく1万人近い人々とすれ違ったことだろう。地方出身者が新宿・渋谷・池袋について「毎日祭りをやっているのかと思った」と言うことはあるが、まさに渋谷は毎日祭り状態である。

これが当たり前だったのだが、コロナ以降、マスクをした人々の大群を見るのが本当に辛かった。とにかく専門家とテレビの言うことに従う無表情な群れを見ているのが苦痛で仕方なかったのだ。

だが、唐津で23時に歩いていると、飲み屋から自宅へ帰る際、すれ違うのはせいぜい10人程度である。唐津の繁華街から徒歩20分ほどの場所に住んでいた頃は、1㎞にもわたって誰一人として会うことはなかった。こちらの方が自分にとっては居心地がいい。朝の3時や4時まで酔っ払いが騒ぎまくっている光景が好きな人はそこにいればいいが、辟易としている人はさっさと都会を捨てるべきである。

⑥いざという時に帰る場所をもう一つ作れる

今、自分にとっては『機動戦士ガンダム』のラストシーンにおける主人公アムロではないが「まだ僕には帰れる所があるんだ。こんなに嬉しいことはない」状態だ。地元・立川と東京都心部は「帰れる場所」ではあるが、ここに唐津が加わったのだ。こんなに嬉しいことはない。居住地という人生においてかなり重要な要素に、第3の選択肢を50歳を手前にして作れたのだ。

⑦新たな趣味を得られる

東京時代、趣味と言えば基本的には飲酒・ゲーム（PS2・スーパーファミコン・ニンテンドー3DS）、あとは誰かから誘われて行くスポーツ観戦や音楽ライブぐらいだった。しかし、唐津に来てからは、釣り・虫取り・BBQ・海遊び・タコ獲り・タケノコ堀りなどが加わった。さらに、様々な世代の人と付き合うだけに、子供がいる場合は少年野球観戦がある。「秘密基地を作った」などと地位のある人が言ってそこで秘密の少人数飲み会をしたりもする。クルーザー所有者とその仲間とともに、船内で宴会もする。こんな人生もあるものだとしみじみ感じられるのである。

そうした中、全体主義は都会から始まることを痛感した。結局テレビが日本の「空気」を作るわけで、大メディアはほぼ東京にしかない。北海道・愛知・大阪・福岡にも大メディアはあるものの、北海道の場合、札幌発の情報は網走の人からすれば異世界過ぎる。かくして東京のキー局が作った番組が全国に流れ、全国紙の主要ページは東京発。そこに地方の人々が付き合わされている。一体、原宿に新しいクレープ店がオープンしたことなどを青森や島根や沖縄の人が知って何になるのか？　新型コロナ騒動初期の頃、「東京で感染者23人！」などの報道があったら、それが全国に駆け回り「我が県を東京のようにしてはいけない！」といった空気感が醸成され、排他主義が加速した。結果、日本中で東京の第一回緊急事態宣言（２０２０年4月7日～5月25日）のような状況になり、「自粛のお願い」（変な日本語だ）をされ、人々は自発的に自粛した（こちらも変な言い回しだ）。

それだけ東京のメディアは強力なのだが、それの象徴的なものが、２０２２年9月2日、中日スポーツの電子版が報じた〝モーニングショー『都民割』特集にネット怒り「東京ローカルで放送して」「なんで46道府県の人にも見せるの」〟という記事だ。視聴率は1％あたり75万人が観ているという説がある。『羽鳥慎一モーニングショー』（テレビ朝日系）の視聴率を12％としよう。日本の人口は1・25億人だが、仮に人口約１３００万人の東京の視聴者が全体の12％を占めているとする。すると、同番組は日本全体で９００万人が視聴しており、そのうち東京の視聴者数は１０８万人となる。７９２万人は自分とはまったく関係のない「都民割」について解説を聞かされることになったわけだ。これはさすがに記事の見出し通り「ネット怒り」となるだろう。

唐津にいても、テレビで流れるネタは東京のものが圧倒的に多い。とにかく白けてしまうのだ。むしろ、地元紙・佐賀新聞の情報が自分にとっては大切である。そんなことから、東京がコロナ騒動を牽引したとの考えもあるわけで、本当に東京、そして都会を捨てて良かった。日本との決別については次の項目で書く。

日本との決別

２０２２年９月、世界各国が新型コロナに対し、「通常の風邪」扱いをして何カ月も経過した。人々はマスクを外し、イベントは大盛況である。ロイター通信は陽性者数の発表をやめた。もはや世界はコロナを「終わったもの」としたのである。だが、日本は相変わらず屋外のマスク率90％、屋内のマスク率99％超でワクチンのブースター接種に邁進している。

エリザベス女王が亡くなり、女王の棺が乗せられた車を見送る多くのイギリスの人々はマスクなどしていない。ＭＬＢ・大谷翔平の試合の観客も然りで大声を出して応援している。スペインでは2万人が参加する「トマト祭」が行われ、トマトを投げ合い大騒ぎ。というか２０２１年になってからアジアを除く世界各国では、２０１９年前の姿が戻っていた。11月からのサッカーW杯カタール大会でもスタジアムの観客はマスクをしていなかった。日本人も含めてである。要するに「コロナは撲滅できない。感染対策よりも通常に戻ることの方がメリットが多い」という判断を各国はしたわけである。

一方、９月７日、厚労省アドバイザリーボードの脇田隆字座長は「いわゆる〝第８波〟、次の波ですね。これが必ず来る可能性が高いということ。そうであれば、これまでの感染拡大と同じ、あるいはそれ以上のものが来る可能性を想定して対策しないといけない」（TBS NEWS DIGより引用）と述べた。どうせ、12月以降の「第８波」が収束した時も「第９波」に備えよ、と言うわけであり、まったく終わらせる気がない。天皇・皇后両陛下は17日、エリザベス女王の国葬のために英国に渡ったが、日本国民向けかどうかは分からないが、黒いマスクを着用してロンドンに降り立った。

その頃加藤勝信厚労大臣は、感染症の分類であるペスト並みの「２類相当」から季節性インフルエンザ並みの「５類相当」にすることについて「現実的ではない」と述べた。

この時、私はもう日本という国に対して絶望してしまった。「一人の命もコロナで殺さない」と言う医者もツイッターにはいるし「感染しない、させない」というキャッチフレーズは定着。子供達は互いにマスクをしているかどうかを監視し合う。ツイッターで多数の「いいね」がついたのはこんな趣旨のツイートだ。2年生の子を持つ母親である。〈私の市内では6年生が一斉に修学旅行へ行く。他の学年で1クラスでも学級閉鎖が出たら修学旅行は行けなくなる。だから全校児童全員で、『6年生を絶対に日光に行かせる！』と暑くても一生懸命マスクをし、黙食をし、無事学級閉鎖は回避でき、6年生は修学旅行へ行けた〉

これに対し「昨年、中学の部活では『今年が最後の3年生のために1、2年生もワクチンを打て』と言われた」といった証言も出た。

完全に「欲しがりません、勝つまでは」の世界であり、異常な状態であっても「修学旅行に行けるだけまだマシである」という奴隷根性に染まっているのだ。そしてもっとも滑稽なのが、この母親、いや、彼女だけではないだろう。多くの日本人が「マスクをして黙食をすればコロナに感染しない」という神話を信じているのである。だが、そうはいってても7月から9月にかけ、日本は10週間連続で世界一のコロナ陽性者数を叩き出した。マスクも黙食もまったく意味がなかったのだ。

こう言うと「マスクと黙食をしていなかったらもっとひどかった」形式の批判が来る。

とにかく「コロナは未知の恐怖のウイルス」「マスクとワクチンと自粛は効果がある」という前提を崩すことができないから、いつまで経っても先に進めない。「検討使」こと岸田文雄首相は、ビビる日本人の姿を見て、「こりゃ、まだ終わらせられないな。終了宣言をしたら内閣支持率が下がってしまう」と考えているのだろう。

挙げ句の果てには、ワクチンで大儲けした米製薬会社・モデルナのCEOは日本人にワクチンを打て打てと指示し、さらには日本国内に工場を造る計画を発表。その条件として数千億円分のワクチンを購入すること、というものがあるという。

ここでもう私は心が折れた。それまで約2年間、コロナ騒動について「そこまでビビる必要はない」「感染対策がウイルスに通用しない」と言い続け、これにより友人や仕事を失った。ネット上では猛烈なバッシングが寄せられた。それでも日本がこの馬鹿げた騒動をさっさと終わらせるにはこうした声が「うねり」を作り、それが「空気」となる必要があると考えたため、言い続けたが、メディアはほぼ「コロナは恐い」「マスクとワクチンは至宝」の前提に立ち、その両方を主張する医者を出演させ、恐怖煽りを延々続ける。

異議を呈した番組を持つテレビ局はTBS、名古屋のCBC、神戸のサンテレビの3つ。雑誌では週刊新潮と女性セブン。私の原稿については「コロナについて医者ではないあなたの意見は載せられない」というメディアが大多数。コロナについて疑問を呈することができたのはプレジデントオンライン、現代ビジネス、『週刊新潮』『週刊ポスト』デイリー新潮のみである。明確に「疑義を呈すな」とは言わぬものの、そのメディアの論調を見ていると「コロナは恐がらなくてはいけない」という方向に振っていることが明確だったため、自主規制した面もある。

毎月原稿を送っていたのに「一旦止めてください」と言われた例もある。「オレのコロナに対する考えに、編集長がNGを出したんでしょ？」と聞いたら「まぁ、そうですね……」と歯切れの悪い回答が来たこともある。

ネットではマスク・ワクチンを含めた感染対策に疑義を呈し、新型コロナウイルスとやらがそこまで恐ろしいものではないことを主張する我々のような人間は「殺人鬼」「バイオテロリスト」「反社会勢力」扱いだらけだった。

そして2022年9月、厚労省アドバイザリーボードの脇田座長による「第8波」発言と加藤厚労相の「5類への変更は現実的ではない」発言でもう私は日本に見切りをつけた。

ちなみに加藤氏はこの発言の後、インドネシアを訪れているが、通訳やSP風の日本人はマスクをしているものの、同氏は外している。そして同氏が会話をしている各国の要人も通訳もマスクを外している。一体このダブルスタンダードは何なのか？　日本国内ではコロナはあるがインドネシアではないのか？　身分が高ければマスクは不要で、部下はマスクが必要なのか？

さらに、9月14日、世界保健機関（WHO）のテドロス事務局長がコロナのパンデミックについて「まだ到達していないが、終焉が視野に入っている」と述べ、要するに「終わるよ」と言ったのだが、松野博一官房長官は感染症法上の位置づけで「2類相当（実質的には1類）」への変更は「オミクロン株であっても、致死率や重症化率がインフルエンザよりも高く、さらなる変異株が出現する可能性もあり、現時点で感染症法上の位置づけを変更することは現実的ではない」と語り、WHOの見解にもたてつき、コロナを何としても終わらせまいと頑張った。

完全に合理的・論理的ではなく、ただただ「感情」と「空気」で動く日本という「法治国家」ならぬ「空治《くうち》国家」の愚かさに対して絶望し、私はこのまま日本がコロナ騒動を続け、カンセンタイサクノテッテイを続ける場合は日本を脱出することにした。目安としては12月15日に『ABEMA Prime』という報道番組に出るため東京へ行くことと、年末年始に、友人のK氏が唐津にやってくるタイミングだ。既に決まっている約束は守らなければならない。

K氏が東京に戻ったタイミングで「日本はこのままマスク国であり続ける」という判断ができたら、チェコ・プラハへ行くことを決めた。陰性証明もワクチン3回接種済みという条件のない国がチェコだったのだ。そして、経由地としては、トルコにした。同国も両方とも不要である。イスタンブールの街も好きなため、1週間ほど滞在した後、イスタンブールからプラハまで空路で行き、日本のこのバカ騒動が終わるまで「疎開」をすることを妻と話したうえで決定した。さらに、タイも2022年10月1日から入国条件を緩和。マスクをするタイ人はいるものの、外国人はしていない方が多いし、タイ人も「着けたいヤツが着ければいい」というスタンスだと聞いた。よって、突如としてタイ・バンコクが選択肢に浮上してきた（※結局、23年1月、タイも入国者への2回ワクチン接種を義務付けたため、マレーシアに変更）。

こうなると色々なことがスッキリとする。まず、ツイッターでコロナについて書くことをやめたし、自分が抱えている連載でもコロナについては騒動終了後の総括までは書く気もなくなった。もはやこんな「コロナ脳」な国民に対して意見をする無意味さを心底感じたのだ。まぁ、その後も結局、書くようになったが（苦笑）。

結局、3年にもわたるコロナ騒動は、専門家・メディア・政治家、そして彼らの言うことを信じたコロナ脳が「コロナは恐怖の未知のウイルス」「感染対策こそ撲滅に有効」という設定を撤回できなくなっただけの話なのである。

9月18日、『日曜報道 THE PRIME』（フジテレビ系）という番組では、加藤勝信厚労大臣が登場。〈「マスク着用」について 日本はどうすべきか?〉というアンケートの質問に対し、3万24人の視聴者が回答。「なるべく着用すべき」が57%、「もう外してもよい」が34%、「どちらとも言えない」が9%となった。7週間連続で世界一の感染者数を記録した後のことである。

司会から「この57%という数字をどう見ますか?」と聞かれた加藤氏はこう述べた。

「まぁ、もともと風邪をひいた時はマスクしますよね。海外はそういう慣習がないということで、常にマスクをすること、コロナ前からしていたということがない。海外の方はそういうことあまりないので、マスク着けたくない、というのがあるのでしょうね」

これに対して出演者で弁護士の橋下徹氏はこう質問した。

「加藤さんがずっと、各国の状況によって違うんだ、と。日本以外の国の状況を見ると、日本よりも今感染者数が少ない状況になっている。日本はマスク着けて、感染者数がこれだけ世界各国より高いってことになると、マスクの効果ってどうなんだ？　僕、マスク着けていたのは、濃厚接触者になって他人に迷惑をかけたくないと思っていて着けていた。今の加藤さんのお話を聞くと、友人関係ではもうもうマスク着けなくていいのかと思った。このあたり各国と違うという状況で、マスクを着けている日本だけが感染者数が高いということになると、普通に考えると、マスクに意味があるのかなと思ってしまいます」

加藤氏はこれにこう答えた。

「一つ言うと、マスク着けなくていいということを言っているのではなく、状況に応じて外したり、近くで密集して喋る時は着けてほしい。これは引き続きお願いしたい。マスクと感染者数というのは、たまたま今、（海外は）そういう状況なってるから、むしろマスク（日本では着用を）。低くなったから（海外は）マスクを外してるわけであって、マスク外してから感染者数が下がったわけではない。日本はマスクをしていたから感染者数を抑えられたし、圧倒的に人口あたりの死者数もかなり抑えられた」

橋下氏は「海外はもう数を数えなくなっている中、外国人の入国制限を緩和する状況、コロナにそこまで慎重になるのは納得できない」といった趣旨の疑問を呈した。このやり取りに対し、ツイッターユーザー・ｏｎｊｅｅ氏はこうツイートした。

「もちろん厚労省はマスクに効果があるなんて思ってないだろう。ただ緊急事態の象徴としてマスクを維持したいだけ。いわばナチスの腕章みたいなもの。現在国民は政府のコントロール下にあると全体認識を合わせておく必要がある。何百兆円使う大事業をやっているのだからね」

こうした番組内容だったが、加藤氏は本当は国民にマスクを外してもらいたいと考えていることを窺わせる発言もしている。

「マスクもですねぇ、たとえば、私達も屋外はマスク外してください、と基本的に。屋内でもよっぽど近くで喋れば別ですが、これぐらい距離があれば（スタジオの加藤氏と橋下氏の距離）基本的にマスク着けなくても、ということを申し上げてきた。ただ残念ながら日本の街中へ行くとけっこう皆さんマスクを着けている　私は積極的にマスクを外して散歩したり外に出ようとしている。そういう方向に行っているとは思います」

要するに「オレ達はもう『マスクいらん』と言っているのに国民が頑なに外さない。どーすりゃいいんだ、コレ」ということだ。ちなみにコロナ対策費は3年間で300兆円。一方では防衛費を1兆4000億円上げるかどうかで紛糾した。

2022年の内閣府の発表によると約300兆円ものコロナ対策費を注ぎ込んできた日

本だが、死者数や初期の被害の少なさの割には、この金額は世界でも群を抜いている。完全に「風邪対策費」を病院への補助金やワクチン購入・接種費用に使い過ぎたのだ。コロナ対策費については2021年1月のIMFの発表では、人口が日本の2・6倍のアメリカが世界一の4兆130億ドル、日本は世界2位の2兆2100億ドル、ドイツは1兆4720億ドル、中国は9040億ドルだったという。

致死率は第1波～第3波で1・8%だったが、第7波では0・01%だ。「これ、そこまで恐れるウイルスじゃねーだろ」という各国が判断したから検査数も抑え、対策もやめ、ワクチンの追加接種にも消極的だ。デンマークに至っては50歳以下は不要と宣言。それなのに加藤氏は「まだマスクは必要だ」と言い続け、政府はワクチンの4回目・5回目接種を推奨し続けている。2022年9月段階で1回も打っていない人間は武漢型のワクチンを2回打たなければオミクロン型対応のワクチンは打てないのだという。まぁ、この段階で一度も打っていない人間の大多数はもはや打たないだろう。「打って後悔した」という人はツイッターや実生活でも時々出会うが「打たなかったことを後悔した」などと言っている人間のことは寡聞にして知らない。

コロナの恐怖を煽った人々の意地とメンツを守るのに全国民が付き合わされているのだ。

もしも「コロナ、実はたいしたことなかったんです」「感染対策、実は意味なかったんです」とでも厚労省や首相が言った瞬間、他責的資質が強い日本人は「我々の3年間を返せ！」と激怒することだろう。とにかく厚労省の役人はさっさとコロナ関連の部署から異動したいと考えているし、医師らも自分の過去発言を掘り返されたくないと考えている。要するに批判されること、怒られること、責任を追及されること、廃業に追い込まれた事業者からの訴訟を恐れているだけなのだ。これが日本のコロナ騒動が永遠に終わらない理由だ。

こんなバカな国はもういい。向かいからゾロゾロと顔面に白い布を着けた集団がやってくる様を見るのも不気味だし、テレビに出てくる街頭インタビューの人、ニュースに登場する人々、ロケに行く芸能人が全員マスクをしている様を見るのも苦痛なため、テレビも見なくなった。新聞でも、登場する人々は皆マスクを着けている。

これはもう耐えられないわ——。

どれだけ言おうが社会は変わらない。だったらどうすればいいかといえば、自分がその場から去るだけである。就職活動では「御社が第一志望です」と言ったとしても、実際に入ってみるとイヤな思いばかりする会社は辞めるだろう。ましてやバイトなどはもっと簡単だし、隣人が毎日大音量で音楽を流すような人間だったら引っ越しをする。

自分の快適な人生のために他人を変えるより、自分が変わる方が圧倒的に簡単なのである。コロナ騒動下の日本は私にとっては本当に苦痛な場所だった。幸い、公共交通機関や百貨店、飲食店で感染対策の徹底を訴え、マスクをしている人間を追い出したり冷たい目で見る東京から、唐津という厳しくない場所に移住をしたのは救いとなった。

だが、前述の通り、都会のメディアが日本全国を牛耳っているだけに、都会の論理は少なからず唐津にも押し寄せてくる。ドラッグストアでマスクをしない私を見たマスク姿の女児が脅えた表情で「あの人マスクしていない」と言い、母親の後ろに隠れたりするシーンもあった。コンビニに入ると、「マスクは！」と店長から恫喝されることもあった。

もちろん東京を含めた都会よりはその「圧」は圧倒的に低いものの、日本全体を多く「マスク真理教」「ワクチン絶対主義」的な空気感に私はもう耐えられなくなった。だから２０２２年９月、「12月上旬に日本がまだ感染対策徹底国だった場合は脱出する」と決めた。

そう、私が２０１３年に「２０２０年８月の東京五輪を見届けてから８月31日をもってセミリタイアをする」と決めたことと同じことを今回も決めただけである。何かを決別するという決意をしたのであれば、それは公言をし、周囲が心配をしたり反対をしたり「どうせ口だけだろw」などと揶揄しようが、徹底すべきなのだ。

なぜなら人生においてもっとも大事なことは自分にとって快適な人生か否かなのだから。そのためには数々の決別などどうでもいい。私はとにかく2020年から2022年の日本は不快で仕方がなかった。唐津で出会った仲間、唐津に来てくれる元からの知人や、ツイッターで私を知った人々が唐津を訪れてくれたお陰でなんとか精神の安定は保てていたが、もう9月上旬の「こりゃ、日本終わったわ……」的事態の連続にはさすがに心が折れた。まさか日本との決別をする決定をするとは。

今回の「疎開」については、日本のバカ感染対策ごっこが終了するまでとは考えているものの、いずれこうしたバカ騒動が日本で再度、発生するであろう素地は分かった。結局太平洋戦争と同じなのである。太平洋戦争とコロナ騒動はかなり似ている。前者が太平洋戦争で後者がコロナである。

①「日本は連戦連勝！」という大本営発表―「コロナは恐い、ワクチン・マスクは至宝」という専門家の偏った意見をメディアが垂れ流し

②戦争に反対する者は非国民扱い―マスクをせずワクチンを打たぬ者はバイオテロリス

ト
③お国のために一丸となろう。防空頭巾をかぶり、竹槍訓練をしよう―大切な誰かを感染させないために思いやりワクチンとマスクの適切な装着を
④欲しがりません、勝つまでは―自粛や黙食、修学旅行中止、祭りや大規模イベントの中止をすればいつか光が見えます
⑤軍部の権限集中と暴走と非を認めたくない様子―専門家への権限集中と逆方向の正義感発露と謝ったら死ぬ病。「8割おじさん」こと「何もしなかったら42万人が死ぬ」発言で名高い京大・西浦博教授は「何度も考えてみたけれど、やっぱこれはおかしいと思う。自らの生命を引き換えにしても正しいことを追求しよう。」と2022年9月にツイッターで述べた。そして「これ、政府の緩和方針とか政治と科学の関係とかの話ではないので。ということだけ書いておきます。」と補足した。これに対しては「頼むから、学者としての領分だけにしてくれよ…」というツイートの感想が出た
⑥出征への赤紙―ワクチン接種券
⑦神風特攻隊―ワクチン接種
⑧巨大戦艦へのこだわり―マスク着用とワクチン接種の徹底

⑨バシー海峡へのこだわり―人流抑制・マスク・ワクチン・自粛こそ効果あり、との信仰

バシー海峡については補足が必要だろう。日本人の特質を表す『「空気」の研究』で知られる山本七平氏による著『日本はなぜ敗れるのか』（角川新書）の第2章「バシー海峡」から引用する。太平洋戦争において、日本はフィリピンの「バシー海峡」を船で進むことが勝利への道筋と信じ込んで、方針転換することなく、何度も船に兵士をギューギュー詰めにし、無駄に多くの兵士を失った。アメリカ軍は「ここで日本の船を待っていれば壊滅できる」ということを分かっており、無策な日本海軍をボコボコにした。

〈一体、何がゆえに、制海権のない海に、兵員を満載したボロ船が進んでいくのか。それは心理的に見れば、恐怖にわけがわからなくなったヒステリー女が、確実に迫り来るわけのわからぬ気味悪い対象に、手あたり次第に無我夢中で何かを投げつけ、それをたった一つの「対抗手段＝逃げ道」と考えているに等しかったであろう。

だが、この断末魔の大本営が、無我夢中で投げつけているものは、ものでなく人間であった。そしてそれが現出したものは、結局、アウシュヴィッツのガス室よりはるかに高能

率の、溺殺型大量殺人機構の創出であった。このことはだれも語らない。しかし、『私の中の日本軍』で記したから再説はしないが、計算は、以上の言葉が誇張でなく純然たる事実であることを、明確に示している。〉

⑩原爆・ポツダム宣言―WHOが「パンデミック終了宣言間近へ」発表。(つまり外圧)

⑪GHQによる支配―日本版CDC設置、モデルナ日本工場設置

2022年9月・ワクチンメーカー・モデルナが、新型コロナウイルスワクチンの国内工場の建設を検討していることを日経新聞が報じた。「10年間のパートナーシップ契約を結び、政府が一定期間ワクチンを購入することが工場建設の前提となる」と、ステファン・バンセル最高経営責任者(CEO)が明かした。その後「オミクロン株、生後6カ月から打てるように　モデルナCEO　全世代の接種目指す」という記事も登場。完全に欧米のビッグファーマに支配されているのである。

10月1日、私の友人である編集者の池田園子氏のツイートが多数RTされた。同氏は八重山の島へ行くため、フェリーに乗ったのだが、ツイッターに便所前の椅子の写真を投稿し、こう書いた。

〈八重山行のフェリー、ノーマスクだと船内着席不可とのことで、船外のトイレ前に席を

用意されました　これは初めて…健康だから必要ない、健康上医学上の理由でしないというだけで、いやな特別扱いをされて気持ち良くはないです。悲しいというか、終わらんねーという疲労感。凪は心地よいけど〉

我が祖国ももはや「マスクをしない」というだけでこのような状態になってしまったのだ。これが続くのならばもう日本はどうでもいい。心底こんな愚かな国に子孫を残さなくて良かった。

決別するために意外と面倒くさい悶絶行為——引っ越し

2020年10月31日、住み慣れた東京・富ヶ谷を離れ、佐賀県唐津市に引っ越した。3LDKの部屋だったのだが、膨大な荷物を1131km離れた唐津まで全部運ぶとなるととんでもない金額がかかることは明白だった。

それに、人生のリセットをするのだから、モノは捨てまくった方がいいと考えた。老親が死んだ後、残された子供達が困るのはモノの処分であることはこの手の記事を多数編集してきたから理解していた。

元々物欲はないし、見栄を張るタイプでもないため、ブランド品は一切ないし、ダイソンの高級扇風機や、マホガニーの机や高級靴などもない。コタツ・電子レンジ・オーブントースターは初めて一人暮らしをして以来19年も使っていた。食器類はなぜかくれる人が多く、多数もらっていた。本棚には大量の本があったが、巨大な本棚から本が動いた形跡はない。前回の引っ越しの時から開けてもいない段ボールがあることも分かった。

そんな状況だからこそ、捨てることは覚悟した。妻も私同様、物欲はないため、愛着のあるものはほぼない。次の家は２Ｋか２ＤＫでいいと考えていたため、一気に捨てることにした。引っ越し月の10月に入ったあたりから本を古本屋に段ボール数十箱分売ったり、日々紙ゴミを45リットルのゴミ袋に詰めるなどを続け、少しずつ減らしていった。椅子や各種家電など粗大ゴミの処分は自治体に連絡をした。だが、自治体の粗大ゴミはコンビニでシールを買い、そして指定の日は連絡から2週間後ほどになる。さらに案外高いのである。１つで１２００円といったものもあるうえに、冷蔵庫や洗濯機のように我々夫婦だけでは運べないようなものも多数ある。

そんな中、見つけたのが「2トントラック1台詰め放題で3万３０００円」という業者だ。我が家の粗大ゴミ等は2トンは最低あると思い注文をしたのだが、「これは別料金です」などと言われ、結局20万円ぐらいかかってしまうのでは……といった不安はあったが

10月26日に業者は来てくれた。

50代前半とみられる感じの良い男性と20代とみられる助手の男性だったがテキパキと作業をし、我が家の粗大ゴミを次々とトラックの荷台に積んでくれる。上司であろう50代男性は最初の段階で「ありゃー、これは1回じゃ無理ですね。もう1回頼んでください」と言い、その場で次の予約をした。引っ越し日の1日前である30日に来てくれることになった。

「もう1回来れば大丈夫ですね」と言い、私と妻はここで安堵した。何しろ、膨大な家具を含めた粗大ゴミがあまりにも巨大な存在としてそびえたっており、「オレら、これ、31日の朝までに全部処分できるの……」と茫然としていたのだから。

26日の第1回では確かにすべては出せなかった。冷蔵庫や洗濯機、机といった大物は捨てられたものの、布団や本棚は30日まで待たなくてはいけなかった。そして30日にもやってきたこの業者の若者2人は「こりゃー多いですね。でも何とかします！」と頼りがいがあることを言ってくれ、我が家からは唐津まで送る段ボール以外はすべて消えた。あとは引っ越し当日の31日、クロネコヤマトの宅急便にこれからも必要であろうものが入った25箱の段ボールを預け、これを唐津の移住者向けの「お試し住宅」に運んでもらうだけである。これには約6万円かかった。

この時、つくづく「モノは不要だ……」という気持ちを抱くに至った。毎日のように、「この膨大なモノを人生を変える日までにどれだけ処分しなくてはいけないのだ！」ということが常に人生の最大の関心事になり、憂鬱な気持ちになっていた。「10月30日になればこれは勝手に処分されているはずだ！　その時までのオレは絶対に頑張っているはずだ！」という将来の自分に期待するという状態になっていたストレスフルな1カ月を過ごしていた。

そんな状況下で来てくれた2回目の2トントラック業者もテキパキと仕事をしてくれ、通常の生ゴミ等も持っていってくれた。これにて「人生の余計な重しが消え去ってくれた……」と心底ホッとした。それと同時に、いかに無駄なモノを大量に保有していたのかも理解できた。今、妻と話しているのは今後の人生でモノを買わないということである。よって、今、我が家にはあまりモノはない。モノがあることによって、「これをどうすればいいのだ……」と茫然とする瞬間はもう経験したくない。そして、自分が死ぬ時、残された人（妻や甥）が「処分がラクだったたね♪」と言ってほしい。

かくしてこれから必要な25箱の段ボールだけで唐津への引っ越しが完了したわけだが、

家具・家電類において持って行ったのは炊飯器とテレビだけである。炊飯器は母親が「アンタはちゃんとおいしいご飯を食べなさい」と愛情を込めて送ってくれたもので、かなりの高級品かつ、ほぼ会うことがなくなった母との接点だから持って行った。テレビについてはたまたま段ボールに入るサイズの27インチだから持って行った。他は完全に全部捨てた。

これの後日譚としては、連日のように「送別会です！」とコロナバカ騒動の中、飲み歩く私が午前様となる中、私の妻は日々ゴミを捨てたり、段ボールに必要なものを入れ続けてくれていた。「決別」をするにあたっても、こうした陰ながらの細かい作業は必要だったし、これがあったがために無事引っ越しができたのだ。彼女には本当にお詫びをするとともに感謝をする。

だが、実際、唐津に住んでから、使っていない段ボールは7箱ほどあるため、これも実は不要だったというオチである。

そして、唐津に来てから買ったものを挙げてみる。

冷蔵庫／洗濯機／電子レンジ／オーブントースター／テーブルと椅子／小さなタンス／ベッド／掛け布団／本棚2台／仕事用の小型机／エアコン

これだけだ。他にも釣り竿等唐津生活の娯楽の品は買ったものの、今は必要最低限の家具・家電だけで生きている。モノは不要であることに40代のうちに気付けて良かった。

日本が終わった3日間

20年以上給料が上がらない国日本。永遠にカンセンタイサクノテッテイヲーを言い続ける国日本。とにかく「生命至上主義」で、高齢者の命のためであれば、若者は大事にしないで良い、というシルバー民主主義の国である。ここまでバカな国だったかと呆れた2022年9月だが、ここまでの諦めを抱いた決定的な3日間があった。

2021年7月7日から7月9日にかけては、日本が完全におかしくなった3日間だった。なんだか本当にすべてがどうでもよくなった。ここまで日本人はバカだったのか、ということをつくづく思った。自分は自分で好きに生きるし、国にはもう期待しない。税金はキチンと払うが。「こりゃ、終わったな」という件は6つ。ここまでコロナに脅えて一体国をどうしたいのだ。

①「茨城県医師会の〝要請〟〝ご配慮のお願い〟による音楽フェス『ロック・イン・ジャパンフェスティバル中止」②「東京での第4回緊急事態宣言発令」③「東京五輪無観客

決定」④「西村康稔経済再生担当大臣（当時）による酒を提供する飲食店に酒業者が酒を卸さぬよう要請」⑤「酒を出す飲食店に金融機関が酒類を提供しないよう働きかけるよう要請」⑥「北海道鈴木直道知事、北海道での五輪有観客決定に『ご理解をいただけずに残念だ』発言、それに賛同の声殺到↓結局無観客に」だ。

私は「コロナにそこまでビビるのはアホ」と言い続けてきたが、もう「日本人は一生コロナを怖がり続け、世界でもっともダサい国を目指せ」という「どーでもいいわ」の清々しい気持ちになった。あー、こんなクソみたいな国で子孫を残さないで良かった！　オレの代で終了。いえ〜ぃ！　妻とその後の甥っ子2人にキチンと遺産を残すだけでいいわ――この3日間の6つの要素によりこんな破れかぶれな気持ちになってしまった。

さて、前出の6つについて一つ一つ何がバカかを書いていく。もっともマイナーネタだが、コレから行く。大前提として、コロナの被害について日本は経済学者・髙橋洋一氏が言い、猛烈に非難された「さざ波」だったのは事実。それはワクチンを打とうが打つまいがそうだった。3回目のブースター接種以降、超過死亡が激増（ワクチンが原因とは言わないが、数字としてはその通り）したものの、2回目の接種まで、日本の被害は本当に「さざ波」だった。結果的に2022年秋も他国がコロナを終わらせる中、ビビり続ける状況が続いた。まずは一つ目。

【北海道鈴木直道知事、北海道での五輪有観客決定に『ご理解をいただけずに残念だ』発言、それに賛同の声殺到→結局無観客に】

7月23日に開幕した東京五輪を開催するとコロナが拡大し、極悪ハイブリッド種が爆誕して人が死ぬ。人の命をたかだか運動会のために失うのはあまりにも無意味である――これが反対派のロジックだ。徹底的に「五輪開催＝死者続出」の論陣を反対派とメディアは垂れ流した。根拠はない。ただ最悪のシナリオを描き心配しているだけの話で、結局「殺人五輪」にはならなかったし、日本でハイブリッド株が誕生することもなかった。そして、批判した人々はシレッと次なるターゲットとして9月の大阪・岸和田のだんじり祭を攻撃した。２０２２年8月は、マスク・ワクチンの絶大なる効果を喧伝する作家・医師の知念実希人氏がマスクをせずフェイスガード装着で踊り子が踊った阿波踊りを徹底批判した。しかし、彼はサッカーW杯カタール大会は批判しなかった。

五輪について、札幌ドームでは、サッカーの試合が行われた。それに先立ち２０２１年6月に行われたサッカーのＥＵＲＯ２０２０は6万５０００人の大観衆がノーマスクで熱狂し、パブリックビューイングでもビールを持った酔っ払いが肩を抱き合い大絶叫。「ワクチン接種が進んだからだ」は通用しない。何しろ陽性者数・死者数は日本よりも圧倒的に多い国だし、2022年現在、ワクチン最先進国は日本であり、カンセンタイサクノテッテイヌーをEUROの各国ではほぼやっていない（一部ドイツなど復活させた国はあるが）。陰性証明書は求められたが、とにかくそれでも根性出して欧州各国はノーマスクで満席にした。

テレビ朝日社員コメンテーターの玉川徹氏は、2021年7月8日、大谷翔平が松井秀喜が持っていたMLB日本人最多本塁打を超える32号を打った際、観客がマスクをしていない様を見てこう言った。

「これがワクチン接種が進んだ国と、ワクチン接種が進まなくて観客をオリンピックに入れないって言っている国の違いだなって実感させられました」

この頃、「ワクチン万能論」があり、日本政府の供給の遅れを各メディアは批判していた。だが、菅義偉前首相の尽力もあり2回接種は次々と進み、各国がブースター接種を積極的にしない中、日本は「つべこべ言わず打て」と2022年には4回、5回目の接種を推奨。生後6カ月の赤ちゃんにまで接種することを決定した。なお、スウェーデンは2022年9月、18歳以下のワクチン接種を禁止した。

アメリカのこの胆力たるや、見事だ。というか、単に「コレ、そこまで騒ぐ必要あるか?」と合理的にアメリカは考えたのだろう。一方、我がバカ日本は札幌が有人観客になると発表されたら反発の声が殺到! そしてそれに同調し、懸念を示す鈴木知事を大絶賛! まったくもって意味が分からない。北海道日本ハムファイターズも北海道コンサドーレ札幌も札幌ドームを有人観客で運営していたのに一体、何なんだ。五輪反対派は国内の試合と国際試合は別だと言いたいのだろう。「外国人の観客が来るとコロナが蔓延する」というその考えが差別主義者である。日ハムのロドリゲスとかバーヘイゲンとか外国人選手のことは歓迎しているが、五輪選手だと違うというダブルスタンダードを見事に発揮したのだ。

もっと言うと、五輪で来る客さえコロナ陽性者だと思っている。そもそもコロナをここまで怖がるのがバカだが、NPB、Jリーグの試合は安全で、五輪だとダメ、というのがまったくもって整合性がない。「世界から色々な人が来るから怖いですぅ〜!」と言うが、当時彼らは散々「世界の方々はワクチンを打っているからワクチン後進国の日本よりも進んでます! 羨ましいです!」と言っていた。ここの整合性がまったく取れていないのだ。

結局「五輪=危ない」という根拠レスな論を信じ込んでいるだけで、政府が関与しているだけに倒閣運動に使っただけなのだ。

こうした「五輪＝殺人イベント」というプロパガンダを信じ込んだバカが五輪に反対し、その「空気」を感じ取った鈴木知事が有観客に懸念を示し、絶賛キャーキャーコメント殺到。そしてその「空気」を感じ取った組織委が無観客を決定。鈴木知事に対しては再び「よくやった！　あっぱれだ！」の声が出たのだ。

政治家は常に「空気」を読んで、自分にとって有利であろうことをやるだけである。合理性はそこにはない。今回の札幌の無観客決定。日ハムとコンサドーレの試合も無観客にしなくては整合性がとれないのに、「五輪で客が入ると人が死ぬ」というイメージが牽引してこのような決定になった。鈴木知事を絶賛している人々は、同氏の手の平で踊らされていただけだ。

そして、一つ指摘したいのが、パラリンピックは批判しない点だ。五輪に反対する女性軍団が登場し、共通のハッシュタグを使いネットでリレー配信的なことをしたが、これが「いつものメンバー」だった。具体名は挙げないものの、とにかく自民党政権が大嫌いな「いつもの自称リベラルメンバー」。この人達も含め、五輪に反対する方々はパラリンピックの名前は出さない。

理由は、パラリンピックは障害者アスリートが参加するから。普段から「弱者に寄り添う」という建て前を持っているこの方々は、パラリンピックを否定することができないのだ。五輪は健常者が出るから批判できる。「#東京五輪開催に反対します」的なハッシュタグは大盛り上がりだったが、「#東京パラリンピック開催に反対します」は盛り上がらなかった。

結局五輪反対は「反政権運動」であり、「政治家による支持率UP施策」だった。今回の札幌の件でこれは見事なまでに露呈。もはや「日ハムとコンサドーレはOKなのになんで五輪のサッカーはダメなの？」は論理的に説明できない。すべてが「お気持ち」でしかない。この件がすべてにおいて象徴的なので、この3日間いかに日本がおかしかったかを説明するにあたり、冒頭に持ってきた。

【茨城県医師会の〝要請〟〝ご配慮のお願い〟による音楽フェス『ロック・イン・ジャパンフェスティバル』中止】

2000年に茨城県の国営ひたち海浜公園で開始したロック・イン・ジャパンフェスティバル。20年以上の歴史を持つが、2021年は開催1カ月前に茨城県医師会が中止の「要請」「ご配慮のお願い」を出し、総合プロデューサーの渋谷陽一氏が苦渋の決断で中止を発表した。医師会の要請は以下の通り。

①今後の感染拡大状況に応じて、開催の中止又は延期を検討すること。

②仮に開催する場合であっても、更なる入場制限措置等を講ずるとともに、観客の会場外での行動を含む感染防止対策に万全を期すこと。

これに対する渋谷氏の声明を読むと一言で言えば「医師会の言ってることは曖昧過ぎて対処できないのでやめるわ」だった。コロナ騒動の中、突如として存在感を増したのが「医師会」なる謎の集団だ。実態は開業医の団体で、医学の進歩に関与するというよりは、自身の既得権益を守ることを主とした政治家への圧力団体。日本医師会の中川俊男会長(当時)、東京都医師会の尾﨑治夫会長が頻繁に会見を開き続けた。彼らは常に国民に対して「自粛しろ!」「医療を逼迫させるな!」と命令し続けた。

これらの発言をテレビも新聞も通信社も取り上げることとなった。「我々の命を守ってくださる医師会様からの切実なるお願い」的文脈で。これを受け、バカ国民は「ははぁ〜医師会様、ありがたい金言をたまわりありがとうございます!」となった。中川氏も尾﨑氏も自民党議員の政治資金パーティに出席したり、中川氏に至っては自粛要請していたというのに女性と寿司デートでシャンパーニュ。

この2人のお陰もあり、「医師会＝立派な方々」というイメージが定着し、医師会が言うことはすべて立派ということになった。そんな中の茨城県医師会のロッキン中止要請。「ワシらも日本医師会や東京都医師会のように存在感見せて仕事してる感出さなくちゃな」とばかりに中止要請をした。

だが、彼らは地元のJリーグチーム・鹿島アントラーズの試合にもそんな要求はしていない。ただ単に、「アントラーズの試合は県内の人間が多いから安心だが、県外から大勢が来るから恐ろしい」という差別をしただけである。

結果的にロッキン側は中止要請を受け入れ、声明を発表。渋谷氏のこの判断は実にロックだ。多分、医師会は「ワシら、ちゃんと仕事してるもんね〜。一応要請出したよ」的な気持ちだったろうに、本当に渋谷氏が「じゃあやめます」と言い放ち、「えぇぇぇ？　マジぃ？」となったのでは。結果、茨城県医師会は大炎上。渋谷氏のすさまじき胆力により、医師会の横暴を世間に見せつけたのだ。

ここまで五輪とロックフェス、2つの中止例を見たが、完全にダブルスタンダードである。「なんか五輪とロックフェスってヤバそう♪　でも、プロ野球とJリーグは安心だよね♪」という単なるフィーリングの問題なのだ。これによって多くの人がこれまでの準備・努力・自己研鑽・友情・愛情をぶっ壊されたのである。２０２２年、同フェスは茨城を捨て、千葉で実施した。ざまみろ、である。２つを詳しく説明したため、以下は簡潔に示す。

【東京での第4回緊急事態宣言発令】

過去3回の緊急事態宣言、効果検証をしないまま「空気」で決定された。結局、緊急事態宣言が出ても8月の「人流」はＮＴＴドコモやグーグルのデータでは明確に減っていない。そんな状況を経て9月に陽性者数は激減し、２０２２年1月の最初の数日間までほぼ出ない状態が続き、同月「第6波」が到来。結局ウイルスは「波」がありピークを迎えたら減るだけなのだ。そこは人間が何かできるものではない。

さらに、緊急事態宣言を求める人々は求めない人々の生活を考えていないのが問題だ。求める人々は「会社行かないでラッキー！　収入も別に変わってないしｗ　どうせオレ、宴会嫌いだし今の状態快適ｗ」「職場の飲み会嫌いだからむしろ嬉しい」「ヒゲそらないでいいからラク」「メイクしないでいいからラク」みたいなものだ。だが、困っている人がいることを理解していない。この手の人々は「インターネット禁止」となった時にようやく「やめて！」と言うだろう。飲食店・旅行業界はその状態にあったのに、そういった他人への配慮はなく、自分にとっての利便性と快適さのみを追求し、緊急事態宣言に賛成したのだ。そして、緊急事態宣言自体「大切な誰かの命を守る」という大義名分があったから社会は受け入れた。だが、前述の通り、人流はコロナ陽性者増加とは関係ないし、そもそも新型コロナウイルスは日本においてはそこまでヤバいウイルスではないのはもう明白だろう。

厚労省の新型コロナウイルス感染症対策アドバイザリーボードが2022年7月13日に発表した「第7波における重症化率・致死率・入院率の見通し（修正版）」のデータを見てみる。東京都の場合、重症化率は「楽観」だと0・016%、「基本」で0・031%、「悲観」で0・069%だ。致死率は「楽観」で0・034%、「基本」で0・081%、「悲観」で0・21%。特に20代以下の致死率は0%である。

一体いつまでこのウイルスを恐れるのだ。ちなみに「旧型コロナウイルス」は4種類あり、それらに感染することは「風邪」と呼ぶ。

【東京五輪無観客決定】

前出札幌と同じだが、バカ世論に負けただけ。そして外国人差別。どうしようもない。

【西村康稔経済再生担当大臣（当時）による酒を提供する飲食店に酒業者が酒を卸さぬよ

う要請】
酒がコロナ感染拡大の最大要因、という最初の設定を変えられないだけ。実際は家庭・施設・病院が感染の主要な場所。「飲食店に行った人がこれらの場所で感染させたんです！」という論もあるが、それは証明できない。仮定の話で飲食店を「悪」にした。２０２１年７月10日付、東京新聞で私が書いた文章を以下、引用する。
〈東京都の飲食店への規制について今一度振り返ってみよう。２０２１年11月28日～２０２２年１月７日は22時までの「時短要請」。１月８日～３月21日は第２回緊急事態宣言。同22日～４月11日は21時までの時短要請。同12日～24日はまん延防止等重点措置。同25日～６月20日までは第３回緊急事態宣言。同21日～７月11日まではまん防。そして今回前倒し解除はあり得るものの、８月22日まで緊急事態宣言だ。つまり、２６８日連続でなんらかの制限を課していることになる。緊急事態宣言の割合は、今年は８月22日までの２３４日中１７２日で73・５％。〉
「酒が悪い」という設定を最初にしたものだから西村氏も、もはや引き返せない状態になった。昨年夏、小池百合子・東京都知事は散々「夜の街」を悪者にした。これも大きな影響を与えただろう。挙げ句の果てには「路上飲み」がコロナ感染源とする報道も出まくっ

た。これらを証明するデータはないのである。あくまでも日本特有の「空気」「フィーリング」が酒を「悪」としたのである。〉

【酒を出す飲食店に金融機関が（お前ら酒出すんじゃねぇ！ と）働きかけるよう要請】

これは西村氏が密告社会を推奨しているだけである。なぜ金融機関なのかを記者に聞かれた同氏は「飲食店と日常的に付き合いがある」的な言い方をしたが、同氏は飲食店ともっと密接的な関係がある存在を忘れている。

「客」「納入業者」である。

金融機関はあくまでも融資の際にいるだけであり、もっと密接的な関係があるのは客と業者だ。結局、「酒を出す飲食店へのカネを断ち、こいつらを潰そう」と考えただけだろう。なんて愚かな大臣だ。その後、撤回したものの、この発言は完全に大臣更迭ものである。

あとがき

色々なものを捨て去ることについて書いてきたが、人々は「捨て去る」ことを恐れつつも、捨て去ることができる人間への妬みがあるのではないかと感じた。2022年12月9日、私は講談社の現代ビジネスというニュースサイトに『あばよ、日本…！「コロナに感染しないことが人生でもっとも大切」だと？ こんな異常な国は出ていくに限る。』という原稿を寄稿した。

基本的な内容は本書と同様に「新型コロナウイルスとやらにここまでビビって人権侵害をし自由を失わせるのはアホである」ということをベースに、日本が法治国家ではなく山本七平が言うところの「空気」が支配する「空治国家」であることを指摘した。

なにしろ、「歩きスマホはおやめください」「エスカレーターの片側空けはおやめくださ い」という商業施設等のお願いはガン無視。しかし、「マスクをしてください」は何としても守ろうとする。本来は法律違反である「立小便」「横断歩道で人がいる時の車の一時停止無視」「パチンコの換金」「浪人をしていない大学1年生の飲酒」は許されているのだから、とにかく「空気」として守らなくてはいけないものについては徹底的に特高警察のごとく取り締まりにかかるものの、「空気」としてそこまで厳しくないものには甘い。

仮に「歩きスマホをしている人がいるから注意しろ！」と施設の従業員に言っても何しろ歩きスマホをしている人数が多過ぎるし、それを気にする人がそこまで多くないため直接注意することはない。ただ、マスクについては着用していない人があまりに少ないため、注意をする。単にフィーリングの問題である。歩きスマホをする屈強な男が4歳児にぶつかったらとんでもないことになる。それだけ危険なのに、「多くの人がしているから」という理由で問題視はされない。

ただ単に「マスクをしていない人はバイオテロリスト」という差別と偏見を生む「空気」が存在するため、マスクは問題視されるのだ。

サッカーW杯カタール大会では、マスクをしない観客が大々的に報じられた。しかし国内の日本人はまったく変わらずマスクを着け続けた。見事決勝トーナメント進出を果たした日本代表は帰国時はマスクをしていなかったが、岸田文雄首相に会い、椅子に座っている時はマスクをしていた。しかし、立ってユニフォームを渡したり、セレモニー的なことをしている時はマスクを外していた。

もう何が何やら分からないのだ。こんなワケの分からない非論理的・非合理的・呪術的な国は一旦捨てた方がいい、ということからこの原稿を書いたのだが、多くの批判は「だったら早く出ていけ」「いつ出ていくのですか?」である。

こちらとしては、報道番組『ABEMA Prime』出演のため、東京に行く12月15日~17日の東京の空気と政府の方針でタイ・バンコクへの「疎開」をすることを元々明言していた。当然こうした揶揄をしてくる人々は私の宣言は知らないだろうが、「日本を捨てる」「あばよ日本」「こんな国」という言葉にはカチンと来たのだろう。

在日コリアンに対して「日本に文句があるのであれば、祖国へお帰りください」と言うのが定番の自称・愛国者のネトウヨがこれを言うのは分かるのだが、そうではない人々も一斉に私に対してこの手の意見を寄せてきた。ここで思ったのが冒頭で挙げた「妬み」である。

私自身は自分に足枷がないことは敢えて散々公言してきた。それこそ、47歳になった時に東京から佐賀県に引っ越すことさえ、普通の人はそう簡単にできないことだろう。以下のようなものがあれば、人生は変えられないし、思い付きで動くことはできない。
変わることを恐れる配偶者/変化を恐れる親・親戚/大学生以下の子供/住宅ローンの残った家/借金/辞めるに辞められない職場/仕事を失う不安/あまりに少な過ぎる貯金/体の不調/親戚間トラブル/老親の介護

幸いなことに私自身、これらはすべて自分とは関係ない。だからいつでも日本を捨てることが可能である。老親の介護については、2人ともカネはあるのでプロに任せればいいと考えている。資金的に必要であれば私も出すが、自分で介護しようとは思わない。老親の残り少ない人生のために50代の貴重な人生を使いたいとまったく思わない。

そうしたことから「オレはいつでもこんなクソみたいな国は捨てられる」という宣言をしたのだが、かなりの反感を買った。自分の愛する国をけなされたのかと思ったのかもしれないが、大多数は「自分にはできないことを易々とできるお前がムカつく」ということだと思う。

いやいや、こちらは「夢のマイホーム」「かわいい我が子をじいじとばあばに会わせる」「安定した給料を定年までもらう」なんてものはないんですよ。自分の腕一つで大金を稼ぎ、そして、こうした一般的な人生の幸せ的なものを諦めたうえで、日本を捨てるという決断もできるようになっただけです。あなたはそれらを持っているのに何を羨んでいるのですか？

こう書くと「羨んでいない！　お前のことを見下してるんだｗ」と来るだろうが、大抵の場合、揶揄してくる人間は羨ましがっているのである。「なんであの時35年ローンを組んじゃったんだろうな……」「なんでオレの息子はこんなにバカなんだ……」などと思っている面はある。

それはそれでいいではないか。それもあなたの人生で、私は私の人生を送っている。お互い、自分の決断を正しいと思い、いちいち他人に対して羨んだり見下したりするのはやめようではないか。時間の無駄だよ。その時々の決断、息子がバカなこと――これらは現実であり、個々人が人生として背負うべきものであり、他人と比較すべきものではない。

仮に私が「重し」を持った立場の49歳の男だったとしよう。そうした場合、恐らく「羨ましい」と思ったはずだ。何しろ、日々ツイッターには飲み歩いている写真ばかり投稿し、休日は釣りを含め、唐津で遊びまくっている写真、そして酒を飲んでいる写真ばかりであまりにもパリピ（パーティーピーポー）っぽいのである。

これは、私が47歳までに財をなし、負債を作らず、責任をかなり放棄したからこそできることでしかない。だからこそ、現代ビジネスの『あばよ、日本…！』という記事は反感を買ったのだ。自分がどうやっても手にできないものを易々と達成するその様に腹が立つことはよく分かる。

となると、次のステップは私の失敗を願うことになる。日本を出れば日本の正常化ができたと判断し、日本に残った場合は「口だけかよ」「有言不実行かよ」とバカにしたいのである。しかし、日本に残る選択をしたとしても、それはそれで私なりに自由に決めたことであり、彼らのように「ローンが……」「息子の進学が……」「老親の介護が……」などと考える必要はない。

だが、自分ができないことを「やります！」と宣言した者が有言不実行した場合に「それみたことか！」と人間はおちょくりたいものなのだ。それが人間の醜さであり、小物っぷりをよく表している。

残念ながら私は彼らの期待に反し、このバカみたいなコロナ脳衰退国家・日本からキチンと疎開できた。マレーシアで日々マスクもコロナもない生活を現在はしている。本当に良かった。いちいち国や雇い主に囚われる人生を送らないで良かった。この身軽さこそが幸せな人生である、と考えている。

これが、本書のタイトル「捨て去る技術」に込めた思いなのだ。「捨て去る」ことは難しい。しかし、元々「捨てるものが少ない」状態を作っておけば、捨て去ることは容易なのである。とかく人間は色々なものを得ようと必死になる。だが、それらはいずれは重しとなり、負担となり、捨てなくてはいけない。その時に量が多いと捨てるのが大変なのだ。元々捨てるものが少ないのであれば、さっさと人生を変えることができる。

人生というものは、誰かのためのものではない。自分と最も大切な人との2人のものである。そのためには、それ以外の要素はかなり邪魔だ。私自身、今、最も大切なのは私と妻である。我々2人が幸せであれば、正直社会がどうなってもいい。八方美人のごとく様々な場所に良い顔をすると、荷物が増えまくってしまい、捨てることが大変になる。本書が目指したのは、社会の通念とは異なる人生を送ってもそれでいいし、いかにラクに生きるか、ということを提示することである。コロナについてかなり書いたが、「マスクがイヤだ」であれば、それでいいのだ。所詮、注意してくる人間はあなたにとってはどうでもいい人間だ。その場をやり過ごせばいいだけ。

皆さんのラクな人生を心よりお祈りいたします。

中川淳一郎《なかがわじゅんいちろう》

フリーライター、編集者。1973年、東京都生まれ。広告会社で企業のPR業務に携わり、2001年に退社。雑誌のライター、テレビ雑誌編集者、ネットニュース編集者などを経て、20年に東京を脱出して佐賀県唐津市に移住。著書に『ウェブはバカと暇人のもの 現場からのネット敗北宣言』(光文社新書)、『バカざんまい』『よくも言ってくれたよな』『恥ずかしい人たち』(すべて新潮新書)など。

捨《す》て去《さ》る技《ぎ》術《じゅつ》 40代《だい》からのセミリタイア

インターナショナル新書一一六

二〇二三年二月一二日 第一刷発行

著　者　中川淳一郎《なかがわじゅんいちろう》

発行者　岩瀬 朗

発行所　株式会社 集英社インターナショナル
〒一〇一-〇〇六四 東京都千代田区神田猿楽町一-五-一八
電話 〇三-五二一一-二六三〇

発売所　株式会社 集英社
〒一〇一-八〇五〇 東京都千代田区一ツ橋二-五-一〇
電話 〇三-三二三〇-六〇八〇(読者係)
〇三-三二三〇-六三九三(販売部)書店専用

装　幀　アルビレオ

印刷所　大日本印刷株式会社

製本所　加藤製本株式会社

ISBN978-4-7976-8116-1　C0295

インターナショナル新書

106
鉄道ビジネスから世界を読む
小林邦宏

アフリカを走る「メイド・イン・チャイナ」の鉄道。その光景にはポスト・コロナ時代の世界ビジネスを読み解くヒントがある。日本は乗るべきか、降りるべきか？「次の駅」はどこだ!? 全ビジネスマン必読!!

108
悪魔の英語術
黒田莉々

謙譲や尊敬の心を重んずる日本人の「おりこうさん」精神が英語習得を妨げている!? 日本の会社員ヤマトとアメリカ人のＬｉｌｙの会話から、ネイティブのマインドを学びましょう。

117
異性装
歴史の中の性の越境者たち
中根千絵 他

性を越境する異性装になぜ我々は惹かれるのか？ 古典文学、歌舞伎、シェイクスピアなどに登場する異性装の意味を読み解き、それらのアニメ、演劇、ＢＬなど現代の文化、ジェンダーへの影響を考察する。

118
あのＳＦはどこまで実現できるのか
テクノロジー名作劇場
米持幸寿

昭和から平成の人気ＳＦ作品に描かれた心躍るテクノロジーの数々を、現代の科学技術で検証。ＩＴ化、自動運転、ＡＩ技術、音声認識など、テクノロジーの現在地を、名作を振り返りながら検証していく。